ON VA GAGNER !

DU MÊME AUTEUR

chez le même éditeur

La douceur du foyer, roman, 1996.

Les avatars de Bertin Lespérance, nouvelles, 1999.

Le changement comme passe-temps, roman, 2002.

autre éditeur

Je suis né en 53… je me souviens, coll. AmÉrica, HMH, 2005.

MICHEL LEFEBVRE

On va gagner !

nouvelles

LES HERBES ROUGES

Les Herbes rouges remercient le Conseil des arts du Canada, ainsi que le ministère du Patrimoine canadien et la Société de développement des entreprises culturelles du Québec pour leur soutien financier.

Les Herbes rouges bénéficient également du Programme de crédit d'impôt pour l'édition de livres du gouvernement du Québec.

L'auteur remercie le Conseil des arts et des lettres du Québec pour le soutien à l'écriture de ce livre.

Dépôt légal : Bibliothèque et Archives nationales du Québec,
Bibliothèque et Archives Canada, 2007
ISBN : 978-2-89419-266-5

À Hildegard, Zombi et Gourou

JE LEUR PARLERAI DE NOUS TOUS

Je n'ai jamais vu une femme acheter un vêtement aussi rapidement que Charlotte l'autre avant-midi. Aussitôt dans le magasin, elle a couru à l'arrière, pris sans l'inspecter le pull bleu sur la tablette, maille, tache, teinture, on s'en fout, elle est revenue à la course vers moi en riant, Tu m'as pas crue, hein ?, elle a disparu au détour d'une allée. Même que la cherchant dans les bas et petites culottes, c'est aussi mon rayon préféré, je l'ai un moment confondue de dos avec une blonde aux cheveux courts, menue, vive, veste de jeans, qui venait d'échapper une aubergine de son sac à provisions et qui la poursuivait, penchée, belles fesses. Charlotte était déjà dehors, feignant l'attente.

— Une aubergine à pattes ? !

Elle a eu un de ses airs, amusée, qui me fait fondre.

On a ensuite marché. C'était jusque-là une merveilleuse journée d'octobre jaune et bleu, bonhomme, enjouée. On est arrivés à une grande intersection où la vie semblait arrêtée. Des gens étaient groupés comme des oiseaux sur trois coins de rue tandis que sur le quatrième un grand type tiraillait une fille par les cheveux et lui cognait la tête sur le capot d'une voiture.

La fille hurlait. Elle était en t-shirt et culotte d'exercice, pieds nus. Ça tapait dru avec un bruit de métal sourd. Un singe sur le trottoir encourageait le type. Les gens sur les coins de rue ne parlaient pas, les autos ne roulaient plus. J'ai cinquante-sept ans, le type devait en avoir vingt-cinq du genre motard, je regardais moi aussi. Charlotte, après un moment de stupeur, a voulu traverser la rue, aider la fille. J'ai suivi pour la retenir, on s'est retrouvés entre les spectateurs et la scène, au milieu de la chaussée, moi, grand, costaud, grosse soupe, essayant de convaincre une jeune fille de cent livres de ne pas se mêler des affaires d'une prostituée et de son maquereau. Je l'ai ramenée dans les gradins, on a entendu des sirènes, le type s'est éloigné à reculons, en sautillant, pointant la fille écrasée par terre, ce n'était pas fini, et qu'il la voie encore traîner dans le coin, criait-il. Charlotte l'a applaudi, scandant en-core en-core en-core, elle s'est tournée par dérision vers les spectateurs, les encourageant à scander avec elle.

On est ensuite allés manger vietnamien, et je n'ai plus été là où j'étais, en octobre jaune et bleu, envieux d'un type comme moi, père d'une fille comme elle.

*

Une fois, avant les grands voyages, dans le métro, elle se tenait tout près de la fosse, elle mimait la perte d'équilibre, de connaissance, de raison, elle me regardait la regarder mimer, comme si elle était vraiment en humeur de se jeter sous la rame, à son âge, et elle m'avait lancé, à l'intention des spectateurs, Si je tombe lentement, tu vas me prendre par la main juste à temps, hein ? et je tomberai pas. J'étais loin d'elle, je n'avais pas voulu me rapprocher, conférer de l'importance à ses menaces. Elle était revenue tête baissée en traînant les pieds et n'avait plus été là, avec moi. Quelques jours plus tard peut-être, elle m'avait annoncé qu'elle suivait sa mère, Tu vas être débarrassé, à Budapest. Elle ne savait super pas où c'était, avait-elle ajouté avec défi, mais elle trouverait ça super bien, cent mille milliards de fois mieux qu'Outremont. Budapest, pauvre petite fille, tu y fréquenteras l'école française, c'est tout ce que j'avais trouvé à dire, avec plein de Français comme madame et monsieur Paternotte de la Vaillée. Oui mais mon amie Maude Paternotte de la Vaillée est vraiment comme moi, elle déteste ses parents, surtout son père, je trouverai bien de pauvres enfants comme nous, à Budapest ou ailleurs, et puis maman m'a dit qu'on irait peut-être habiter Zurich l'an prochain, et puis Rome l'année d'après, juste pour te rendre jaloux, qu'est-ce que t'en dis ? qu'est-ce que t'as à m'offrir de mieux ? deux semaines à Los Angeles ? chez ta vieille rafistolée de tante, l'actrice qui joue la vieille rafistolée dans son soap depuis quatre-vingt-dix-huit ans ? qui reste même pas à Beverly Hills, qui a un trou quétaine avec piscine minable à Pasadena, tu vas venir nous voir à Budapest ? t'es déjà allé ? tu vas amener ta grosse ortho ?

Car je voyais à l'époque Marianne, pas du tout orthophoniste mais courtière en immobilier, que j'avais connue une fin d'après-midi de visite libre à Outremont, avec qui je baisais une demi-heure plus tard dans le lit des propriétaires. J'avais acheté la maison, qui me convenait après tout, que j'ai toujours, et Marianne avait organisé d'autres visites libres, propriétaires absents. Elle n'acceptait pas, c'était la moindre des insultes, que Charlotte lui dise qu'elle avait les seins en boule de bowling. De toute façon, mes femmes, Beatrice l'universitaire, Wendy la bibliothécaire, Sue la boulangère, Amélie la chocolatière... les Européennes, mais les Indigènes aussi : Marianne la courtière, Denise la productrice, Carole la comptable, Francesca l'infirmière... Toutes des nulles, des orthos, des poches, selon l'époque : pas une autre que sa mère n'a jamais trouvé grâce aux yeux de Charlotte.

Éléonore, c'est autre chose, c'est belle-maman et c'est maintenant : Charlotte évoque sa chatte multifonctionnelle avec des larmes dans les yeux, elle me demande si elle est aussi soyeuse que celle d'Annabelle.

Je suis pudique malgré.

*

Mère et fille avaient donc habité Budapest, Zurich, pas Rome mais Florence, de quoi me rendre vraiment jaloux, Melbourne, Dublin, Marie-Louise n'acceptait que des affectations tendance. Elle est consultante en énergie nucléaire, avocate, pour être plus précis, étouffeuse d'incidents environnementaux. Elle se pointe en tailleur anthracite avec sa tête blanche bouclée, ses yeux à se noyer dedans, son sourire à gouffre, elle survole les tenants et aboutissants, met en confiance, jamais dans son lit, elle me l'assure mais je ne demande rien, Hongrois, Suisses, Italiens, Australiens, Irlandais, Montréalais, les roule dans la farine et s'en retourne cuisiner pour sa fille.

Les choses se sont tassées entre nous. Marie-Louise ne prend plus que des mandats montréalais depuis que Charlotte est aux études et en amour, et nous demeurons à portée de marche. Et nous ne sommes pas loin non plus de ce qu'on appelle une famille : Marie-Louise vit avec mon demi-frère John ; et moi, qui aime le danger non violent, je sors avec la grande amie de Marie-Louise, Éléonore, qui est aussi la mère de l'amante de Charlotte, Annabelle. John me traite de *cocksman*, manière de pauvre couille débridée, ravi que j'en sois une : il avait l'œil sur Marie-Louise bien avant moi, alors qu'il était marié à Sue. La même Sue honnie par Charlotte quand elle avait douze ans ; sa British de tante, donc, jusque-là plutôt chérie, qui était devenue double ortho, les seins comme des biberons vides, elle s'attaque toujours aux seins de mes femmes, le jour où j'avais succédé à John pour à peine quelques mois, le temps pour Sue de niaiser John.

Mais le plus beau reste à venir, question clan tordu : Charlotte et Annabelle se marieront bientôt l'une à l'autre, ce qui emmerde Bertin, père d'Annabelle et ex d'Éléonore, crétin et magouilleur politique à Gatineau pour le Parti conservateur du Canada. J'emmerde moi-même Bertin, et tout dernièrement en public lors d'un colloque organisé par sa faculté de l'université d'Ottawa : je suis politicologue, lui aussi ; je me fous de la politique, lui de l'université ; on s'est déclaré la guerre, on n'en rate pas une. Mais nos deux filles sont lesbiennes et fiancées, je gagne : Stephen Harper fait des boutons sur la question du mariage gay ; elles visent toutes deux une carrière dans l'humanitaire et l'international, je gagne derechef : c'est mon expertise ;

je baise qui je veux et son ex, je gagne à nouveau : Marie-Louise le tient pour le dernier des trouducs depuis qu'il lui a mis la main aux fesses avec doigt chercheur il y a quarante-huit ans. En plus, il sort avec l'attachée politique d'un prétendant au trône et ne veut pas révéler ce que lui a promis Stephen en échange de son pitoyable espionnage. Minable ambitieux, Bertin, à-plat-ventriste conservateur, calculateur, homophobe à progéniture gay, bientôt grand-père par insémination : je gagne sur tous les fronts.

— Pas si minable homophobe que ça, dit Charlotte, si tu savais ce qu'Annabelle lui confie. Ils ont une très bonne relation, il sait distinguer le spectacle de l'intime – elle n'a pas ajouté *lui* précédé de la virgule, alors j'ai profité de la porte ouverte, c'est ma seule fille, et c'est une femme.

— On va faire comme eux : parle-moi de toi.

— Tu m'as déjà demandé ça la dernière fois, tu n'écoutes pas. On veut un garçon, moi et Annabelle. Les filles, on connaît, et il leur arrive des pochitudes, comme tout à l'heure avec des trous de cul, et d'autres plus subtiles avec des universitaires. As-tu des prénoms à nous suggérer ? On a pensé à Rufus, c'est notre préféré. Ça te plaît ?

— Vous voulez vraiment vous marier ?

— Pour le party, les copains, la photo dans le journal de la faculté, les cadeaux. Et pour faire dépenser les parents. T'as pensé à te remarier ? Qui va s'occuper de tes vieux os dans vingt-cinq ans ?

— Toi.

— Moi ! ? Ha ! Moi, je serai quelque part comme aux Marquises dans vingt-cinq ans. Annabelle ne sera plus dans le décor, on aura divorcé si on se fie aux facteurs génétiques.

— Et Rufus ?

— Ben, Rufus aura suivi l'une ou l'autre comme pauvre petite moi j'ai fait, c'est le karma d'un enfant Lespérance. Il aura sa vie, je serai peut-être grand-mère. Je trouve que vous avez agi pour le mieux avec moi, surtout maman. Avec toi, ça ne pouvait pas être autre chose.

— Que ?

Son cellulaire a sonné.

— Ah, Éric, oui. Non, non, pas de trouble, je suis seulement au resto avec mon père.

Elle s'est levée, a ondulé des hanches entre les tables comme une ingénue répétant que ce n'était que son père et elle au resto, et a disparu aux toilettes. J'ai renvoyé la serveuse pour ne pas commander en son absence et j'ai écouté autour de moi. Des femmes surtout. Elles aiment les grosses soupes.

Patates pilées avec tortillas, c'est sa spécialité, tu comprends pourquoi il faut que j'arrive tôt à la maison, Le mien oublie toujours un vêtement de Charles-Étienne à la garderie, remarque que les éducateurs ont pas tellement plus les yeux en face des trous, Nous autres, on déguédine à cinquante-cinq ans au Costa Rica, je sais bien que c'est dans vingt-cinq ans, mais ça me prend une perspective comme celle-là pour toffer l'après-midi, Et puis là, il m'a dit, attache-toi, si c'est pas aujourd'hui, ma poule, c'est jamais, je vois pas pourquoi je me fendrais pour un moron, *ma poule,* m'en va lui en pondre des rapports, Moi, le mien, pas moyen de lui entrer dans le caleçon que j'ai vraiment la migraine, On a fait des visites libres dimanche, une maison à Outremont, je te jure, c'était d'un sale écœurant, partout, ça devait être des Français qui restaient là, Ah parle-moi pas d'eux autres, j'en ai plein le bureau, ils prennent tout le plancher, jamais moyen de placer un mot, ils connaissent tous les fromages, ils te disent où placer la langue quand tu manges…

— Entièrement d'accord, Madame, faudrait un génocide. Mon père ici en a eu comme amantes, des Françaises, c'était pas tenable. Elles sentent la sueur de poil en plus. Catherine Deneuve aussi, hein petit papa chéri ?

Les deux femmes l'ont regardée s'asseoir. Souriante. Marie-Louise tout craché. Je ne sais combien de fois j'ai risqué ma vie à cause de leurs interventions publiques. Mais je suis veule, j'ai fait remarquer à Charlotte qu'elle y allait un peu fort avec le génocide : un 11-Septembre ou trois par année, bien ciblés, genre métro Châtelet à dix-huit heures, feraient la job.

Je suis dans l'humanitaire, mais le midi je prends congé.

— C'était Éric, on fait un travail ensemble. On cruise un peu, il est parfaitement au courant de ma gouinerie. Faudrait bien que je vive un peu avant de me passer la corde au cou. Il est pas mal pour un gars, Éric. Qu'est-ce que tu me conseilles ?

— Pourquoi pas ? Tu vas peut-être aimer. Ça fera pas mourir Annabelle.

Tout pour plaire à sa fille.

— Non : qu'est-ce que tu me conseilles *comme plat* ? je te demande pas un courrier du cœur, j'ai les tomates dans les talons. *Vitto! Z'frässa! Food!* J'ai faim ! Pas toi ? J'ai envie de crevettes. Comment ça va avec Léo ?

La serveuse, pas mal du tout, Eurasienne, trente ans, est revenue. Charlotte lui a commandé les crevettes aux trois moutardes. Moi, du pâté chinois, pour les faire rire. Je ne me refuse aucune occasion.

— « Léo »... Je m'habitue pas. Bertin l'appelle aussi comme ça. Pour moi, c'est Éléonore.

— Peu importe. Annabelle m'a dit que ça n'allait pas très bien entre vous.

La serveuse est réapparue. Elle s'excusait, elle parlait un français délicieux, mais elle trouvait que les crevettes aux trois moutardes, ce n'était pas très bon, ici.

— Pas très bon ! ? Et ici en particulier ? Ah bon eh ben. J'aime pas quand c'est pas très bon, je vais prendre autre chose alors. Qu'est-ce qu'il y a de bon, ici ?

La serveuse a guidé Charlotte à travers les différents plats de crevettes au menu, me laissant le temps de réfléchir à ce qui n'allait pas entre Éléonore et moi.

— Crevettes sautées à l'ail sur lit d'épinards. Et du riz. Puis, t'as trouvé ? Mon avis, c'est parce que tu ne laves jamais tes serviettes. Celle des invités, on n'en parle pas. Ça m'énerve aussi, on va pas chez toi pour faire le lavage. La prochaine fois, j'apporte la mienne.

— Annabelle t'a dit ça ?

— Pas simple comme ça, ce sont des choses qui s'expriment mal, disons que c'est un aspect du problème général : tu ne prends pas assez soin de ton entourage, trop de toi. À moins que je me trompe et d'après mes sources, tu te laves tous les jours, tu as les oreilles, les pieds, le gland, les fesses propres, tout ça. Mais l'eau est sale, tu comprends ? À la française, a-t-elle ajouté en élevant la voix et en se penchant vers nos voisines. Vous êtes d'accord, Madame ? C'est l'eau sale, le problème en France, non ?

La serveuse, faudrait que je revienne seul, est revenue. Elle s'excusait encore auprès de Charlotte, mais les épinards, c'était sucré. Un peu.

— Un peu sucré ?

Oui, il y avait du sucre dessus.

— Mais il est ajouté, le sucre ?

Oui, il était ajouté.

— Et on ne peut pas ne pas en ajouter ?

Non, c'était le plat.

— Bon apportez-moi n'importe quel autre plat de crevettes, un qui est bon et pas sucré.

— T'es pas sérieuse, là. La femme de ménage s'occupe de tout, y compris le lavage…

— Y compris celui de ton dos ?

— … j'imagine que tu me fais payer pour tout à l'heure, la prostituée et son maquereau. T'aurais voulu que j'intervienne.

— Voilà, exactement, le dialogue est possible, on s'en fout des serviettes : on voudrait que tu intervinsses.

— On ?

— Tes femmes.

La serveuse est revenue, j'étais à deux doigts de croire que c'était pour moi, informer Charlotte qu'il n'y avait plus de crevettes. Ou seulement quelques-unes, pas assez pour un plat. Le cuisinier proposait de les mélanger avec du poulet. Si elle aimait le poulet, bien sûr.

— C'est pas possible ! Qui a mangé toutes les crevettes ? Vous, Madame ? Les Français ? Apportez-moi une grosse soupe, comme à tout le monde ici. Pas moyen d'être originale. Avec n'importe quoi dedans, du poulet, des restes.

— C'est pas drôle, Lolotte, je fais des efforts. Je ne vois qu'Éléonore, je ne sors plus qu'avec elle, je ridiculise son ex dans les débats, qu'est-ce qu'elle a à me reprocher ?

— Demande-lui.

— Comme ça ? Sans crise ?

— Essaie l'empathie comme séduction une fois. T'es-tu déjà vraiment occupé de quelqu'un plus que trois jours ? Pas de moi en tout cas. Je te trouve bien gentil, petit papa toutou, disons que t'es vite à dégainer mais t'as pas de souffle.

— C'est toi qui as choisi ta mère à l'époque. Je me serais occupé de toi.

— Oui, *right,* admets que le choix s'imposait. Le McDo, c'est bon après une semaine de légumes, pas tout le temps. Mais c'est de la vieille histoire, et voici voilà ma soupe méritée, merci Madame pour vos précieux conseils. J'ai super faim, je suspends le procès. Parle-moi, toi, de toi.

Pas assez soin de mon entourage.

Que j'intervinsse.

M'occuper de quelqu'un plus que trois jours.

Pas de souffle.

Les choses sont compliquées, dit toujours Marie-Louise.

Alors je me suis juré que la prochaine fois serait la bonne, je lui parlerais de son demi-frère. Ou mieux, je les présenterais l'un à l'autre. Je lui proposerais un long week-end en Ontario, passé Toronto, à soixante-quinze kilomètres au nord-ouest. Orangeville, trente mille habitants. Il y a là un vétérinaire de vingt-six ans, un an plus jeune que Charlotte, Kevin Hopfmeister, fils unique de Flavia Hopfmeister, professeure au département de sciences politiques de l'université de Guelph. Je voyage beaucoup, mais je disparais quelques jours deux fois par année, Marie-Louise est au courant, Flavia sait d'où je viens, et je vais voir Flavia et Kevin. Pour le prénom, j'ai été mis devant le fait accompli. Je ne veux pas déranger, alors je prends depuis plus de quinze ans une chambre au B&B d'Agatha Müller, à East Luther. Même qu'Agatha m'a ouvert son lit au départ de son premier mari, il y a une dizaine d'années. Je l'ai compris fermé à ma visite suivante lorsqu'elle m'avait présenté Ignaz, un voisin fermier veuf. Je m'entends très bien avec Ignaz, qui a changé de vétérinaire tout dernièrement, pour encourager Kevin. Je m'entends aussi superbement avec Thomas, le compagnon de Flavia ; avec les enfants de Thomas ; avec leurs conjoints et amis ; même avec ceux d'Ignaz, qui est plusieurs fois grand-père ; avec la copine de Kevin, Greta ; avec leur labrador Jack ; et avec certains collègues de Flavia à Guelph, lesquels sont aussi des pairs que je croise ici et là dans le monde. Et je gagne encore contre Bertin, qui connaît Flavia. Dans les congrès et colloques, elle et moi, on joue à la distance professionnelle, ça nous amuse bien.

Marie-Louise m'assure qu'Éléonore ne sait rien ; ni Bertin, qui ne collabore pas au groupe de travail pan-canadien que Flavia et moi avons créé il y a longtemps et qui se réunit aux six mois à Guelph.

Un soir de mon séjour semestriel, je réserve la grande table du chinois d'Orangeville et j'invite qui peut de mon clan ontarien.

Flavia n'était à l'époque qu'une étudiante de Queens. Charlotte dirait que je lui ai donné de l'argent pour Kevin, moi je dis que ce n'est pas si simple, Marie-Louise est d'accord, qu'on fait ce qu'on peut, et que j'avais une famille à Montréal et une autre à Toronto. Kevin est plutôt introverti, tout le contraire de Charlotte, mais il ne seront surpris ni l'un ni l'autre. Je leur parlerai de nous tous.

BLEU NORVÈGE

Bertin venait de dire à Marianne qu'il avait un cancer. Pas des plus foudroyant mais sans appel, morphine en prime : un an, un an et demi, c'était la moyenne pour l'espèce. On avait vu pire : deux ans et quelque. Il avait les moyens de voyager, il y avait songé, croisière en Méditerranée, safari-photo au Kenya, plages de Bali ; il préférait sa fenêtre. Il arrêterait tout simplement de travailler, renouvellerait son bail, s'assurerait l'approvisionnement en marijuana, s'achèterait une grosse, mais une grosse télé, changerait peut-être le pick-up pour une auto et se baladerait dans la région. Il y avait plein d'endroits où il n'était jamais allé. Saint-Mathias-de-Bonneterre, Tomifobia, Beebee Plain, ce coin-là, autour du lac Memphrémagog. Et même Sutton, ça ne s'était jamais présenté en trois ans. Alors, comme si rien n'avait basculé, Marianne avait demandé :

— Sutton, voyons donc, c'est toujours pas à tout casser comme excursion. Qu'est-ce que tu fais de tes fins de semaine ?

*

Ils étaient assis à la fenêtre de l'appartement de Bertin, qui donnait sur la rue principale de Waterloo. Il faisait blanc glacial sous un ciel bleu Norvège – leur bleu à eux autrefois, une trouvaille de Marianne –, la fumée virevoltait des échappements et des cheminées. La vitrine du Dollarama, en face, était absolument givrée, et les seuls humains à la ronde étaient les clients qui s'expulsaient du magasin pour courir à leur véhicule. C'était dimanche. Bertin avait téléphoné la veille à Marianne pour l'inviter à bruncher. Elle n'avait aucune visite libre cette journée-là, aucune échappatoire au calme, elle avait accepté. Une incursion à la campagne, ce n'était ni coutume ni le vrai 450, et elle n'avait pas vu Bertin depuis qu'il s'était installé à Waterloo. Il avait quelque chose à lui annoncer, il n'avait jamais aimé parler au téléphone – il n'avait jamais aimé parler. Elle ne savait pas trop à quoi s'attendre... Une maison ? – trop de tracas pour lui. Une blonde ? – aurait-il trouvé une génitrice ? Mieux : il avait trouvé un enfant tout fait !... Ou une sortie de placard, tiens ! Il lui annoncerait qu'il a toujours été gay, elle ne résisterait pas à l'envie de lui dire qu'elle s'en était toujours douté – ce qui n'était pas vrai –, il lui demanderait pourquoi, à quoi faisait-elle allusion, quels en étaient les signes, ils revisiteraient le passé, railleraient leur vie sexuelle, ce ne serait pas bien. Elle s'était plutôt imprégnée des étendues blanches, aveuglantes, de chaque côté de l'autoroute – d'un blanc *Fargo,* son film préféré des Coen –, et avait mis la radio très fort.

Ils avaient mangé au chinois – un brunch à la Bertin. C'était à cinq minutes à pied, mais il faisait si froid et elle tenait à lui faire essayer sa nouvelle Audi.

Il lui avait un peu raconté son travail à l'usine de vélos où il était contremaître, son quotidien réglé ; vanté la disponibilité des services en région, l'amabilité des gens. Il l'avait surtout écoutée, comme avant : l'immobilier, le bac en histoire de l'art, le magasinage de vêtements, les sorties culturelles ; bref, elle était super occupée – et tellement, à ce moment précis, à lui démontrer que tout allait pour le mieux de mieux en mieux, qu'elle en oublia de lui demander ce qu'il avait à lui annoncer. Il lui avait proposé le café à la maison, ils pourraient tirer leur joint en paix. Elle avait souri, condescendante : elle ne fumait plus rien et ne buvait qu'en de rares occasions, avec des clients.

*

Elle se demandait parfois comment elle réagirait à l'annonce d'une maladie fatale de la bouche même du condamné. *Un sursis plus évident que le mien,* se rassurait-elle aussitôt, et elle passait à autre chose. N'empêche, elle se surprenait depuis un certain temps à parcourir les avis nécrologiques dans le journal – comme le faisait Bertin autrefois : il lui montrait les photos des morts, « quelqu'un pour qui c'était fait », il soulignait leurs sourires tristes, leur vague aux yeux, « comme s'ils avaient toujours su », il lui lisait les notices, d'une voix sincèrement émue. Elle avait certes vécu quelques décès en quarante-sept ans, mais tous subits : accidents, crises foudroyantes, aggravations d'épisodes anodins. Anodins du moins pour elle. Elle n'avait jamais cherché à savoir, par exemple, de quoi exactement étaient morts ses parents. À l'hôpital, de complications, oui, mais le dernier épisode ? Et si on avait interrompu tout traitement à un moment où, comme souvent lorsqu'il était question de faire face, elle avait le dos tourné ? Dans les deux cas, d'abord son père puis sa mère quatre ans plus tard, elle avait reçu un appel de l'hôpital : une infirmière lui annonçait que. Malheureusement. *Sauvée des adieux*. Elle ne se souvenait plus très bien des dernières visites qu'elle leur avait rendues : l'avant-veille, entre deux clients ? la fin de semaine précédente, entre deux activités ? Elle les trouvait de fois en fois plus ou moins pareils, à l'état morbide, mais stable. Et puis il y avait eu aggravation fulgurante, c'est ce qu'on lui avait dit après coup. Elle n'avait pas vraiment posé de questions, pas cherché à rencontrer les médecins traitants – ou peut-être que si pour son père, mais elle comprenait : ces professionnels étaient tellement sollicités qu'ils expédiaient les cas sans espoir. Ellc avait procédé aux funérailles, fait le partage des souvenirs et des biens dans leur famille – ils étaient divorcés depuis longtemps –, les démarches nécessaires auprès des institutions, et n'avait presque plus reparlé de ses parents avec personne. Elle était fille unique, ça aidait. Il y avait eu d'autres décès, avant et depuis, des gens de connaissance, plutôt vagues, lointains, perdus de vue : la noyade d'un copain de jeunesse ; quelques collisions frontales et embardées ; la chute en montagne du père de son amie suisse, Beatrice ; l'anévrisme d'un collègue, le suicide d'un autre. Et puis, quelques années auparavant, oui, ça l'avait un peu secouée, c'est vrai – et peut-être était-ce ce qu'elle cherchait dans les avis de décès, des sourires d'enfants, *qui ne savaient pas encore* : le viol et le meurtre d'une fillette, une voisine qu'elle avait connue quelques mois plus tôt, le soir de l'Halloween, déguisée en Harry Potter. On avait retrouvé son corps en morceaux dans un sac vert à l'arrière d'une fruiterie – *toute une petite fille rentrait dans un sac vert.* Peu après, la mère, qui ressemblait justement à J.K. Rowling, avait sonné chez Marianne, flambant nue, à trois heures d'une nuit d'hiver, en pleurs : la porte avait mangé ses clés alors qu'elle était sortie fumer dans le jardin. Mais Marianne n'avait jamais rencontré de mort prévue, ni même d'agonie. Elle prenait bien sûr des airs de circonstances lorsqu'on lui apprenait qu'une épisodique ou quelconque relation, client, voisin, parent ou ami d'ami, se mourait de dégénérescence ou d'invasion fatale, mais c'était plutôt rare. Et loin. Elle avait le bonheur qu'autour d'elle on ne se plaignît que d'irritants : arthrose, allergie, débuts de diabète. Rien d'alarmant encore. Du vieillissement.

Maintenant pas moyen d'y échapper : le type, là, devant elle – *elle le reconnaissait trop, le plus tenace de ses ex, qu'elle aimait bien, pas moyen de le nier* –, avait un cancer, il allait mourir dans un an, un an et demi.

*

Elle ne saisit pas bien la réponse de Bertin, à savoir ce qu'il faisait de ses fins de semaine, elle s'accrocha aux mots quilles, Cowansville, répéta « quilles », « Cowansville » ajoutant que c'était drôle, cette renaissance des quilles – depuis quand, au fait ? depuis *The Big Lebowski,* peut-être ? –, elle n'y avait pas joué depuis sa jeunesse, elle se rappelait d'ailleurs une soirée, complètement givrée dans un salon – c'est bien ce qu'on disait, salon de quilles ? drôle ça aussi, non ? – de l'avenue du Mont-Royal – ou de la rue Masson peut-être ? –, ils étaient cinq ou six à faire les caves, singeant les professionnels de la télé, s'élançant tous ensemble, se retrouvant sur le cul, les boules dans le dalot, avec le gérant qui voulait les sacrer dehors.

— T'auras donc plus de temps pour jouer aux quilles.

Elle avait toujours trouvé Bertin réservé, c'est ce qui l'avait attirée au début. À la fin il était étriqué, coincé, bouché, constipé, de la couleur d'un mur d'hôpital. Un soir, à l'époque où elle vendait maison sur maison dans le West Island, elle était rentrée alors qu'il mangeait un smoked meat, l'air béat devant le mini-putt à la télé. Elle était partie le lendemain avec quelques valises, lui laissant le reste, surtout la Tercel. Ils n'étaient pas mariés, elle n'avait jamais voulu ni enfant ni pourvoyeur, la séparation s'était faite comme une vente de duplex sur le Plateau. Il n'avait peut-être pas tout compris, la discussion n'était pas son fort, elle n'avait eu qu'à fermer la porte sur huit années tièdes. Ils s'étaient revus peu de temps après, pratiquement comme s'ils ne s'étaient jamais quittés, avec déjà une certaine affection, et avaient convenu du traitement des séquelles. Et six ans plus tard, ils étaient assis à la fenêtre de ce logement désespérant de la rue Foster, à Waterloo, au-dessus du barbier. Il s'était aménagé un coin lecture pour profiter de la lumière du matin et de fin d'après-midi. Il y lisait le journal en fumant ses joints, changeant de fauteuil d'un côté ou de l'autre de la petite table ronde, selon l'humeur, la période, la température ; vue sur le trafic, le transformateur et le Dollarama. Il y avait mieux, bien sûr, même dans le village, mais l'épicerie, le chinois, la SAQ, la boulangerie étaient à distance de marche – il aurait même pu aller travailler à pied sauf que c'était mal considéré à la campagne, surtout pour un contremaître. Et puis il pouvait garer le pick-up dans le stationnement du Dollarama, un privilège de résident.

Peu à peu, elle n'entendit que le silence entre les mots de Bertin... les mots, du remplissage d'ici à la mort... un sursis plus évident que le sien... comme s'il avait toujours su... Bertin, qui sait maintenant, qui dit des mots pleins de mort... Bertin, qui parle heureusement toujours de sa ligue de quilles à Cowansville, deux fois la semaine, lundi et jeudi, tournois le dimanche – pas aujourd'hui, les Rois se fêtaient en famille en région.

— Pourquoi Cowansville, c'est pas un peu loin ?

— Ça me fait sortir, voir d'autre monde. Sinon je passerais ma vie avec les gars de la shop. Tu me connais. Je l'ai dit à personne.

Passer sa vie... Il n'était plus seul à savoir ce qu'il avait toujours su, elle savait aussi.

Il s'alluma un autre joint.

Se sauver des adieux... Faudrait trouver des mots. Elle pensa à J.K. Rowling dans la nuit mangeuse de clés. Elle l'avait couverte d'une robe de chambre, fait asseoir dans le salon. Elles avaient bu de la camomille. Elle n'avait rien trouvé à dire là non plus. Elle regardait l'heure avancer, le gros rendez-vous se rapprocher – elle l'avait d'ailleurs manqué. J.K. Rowling s'était endormie sur le sofa, son ex était venue la chercher, elle avait été hospitalisée peu après, Marianne avait vendu leur maison. Elle s'entendit prononcer des mots.

Comment l'avait-il su ?

— Le physiatre m'a dit : « Je transfère votre dossier à un oncologue. Vous comprenez ? »

Souffrait-il ?

— Ça fait mal par secousses. Je sais bien qu'à côté d'un de vos accouchements...

Devait-il prendre des médicaments, allait-on tenter quelque chose ?

— Irradiations, chimio... c'est délicat ensemble. De toute façon, c'est assez vu. Ça n'a plus d'importance. Les métastases se promènent. Juste à fixer le bleu Norvège, j'en ai plein les yeux.

Elle répliqua que ça, c'était son vieux problème de corps flottants, non ? – il fut touché qu'elle s'en souvienne.

Pouvait-elle faire quelque chose ?

— Viens me voir. Il y a de belles terrasses dans la région. Je sais que tu n'aimes pas tellement la campagne...

— Sûr que je viendrai. On ira aux États. Boston, Cape Cod. Ça fait sûrement longtemps que t'as pas vu New York...

— Cape Cod. La mer. Un bed and breakfast. Une chambre pour deux. Ce serait pas une mauvaise idée.

— ... Ground Zero. Faut pas manquer Ground Zero avant qu'ils reconstruisent...

— ... que Ben Laden réattaque...

— ... on prend l'avion le matin, on revient le soir.

N'importe quoi.

— Vois-tu, mon amour, mon bel amour, je pense que je pourrai mourir sans avoir vu Ground Zero. Si je ne suis rien après, s'il n'y a rien, je ne serai rien pour regretter. Et si je suis un ange, j'irai où je veux, à Ground Zero, dans ses entrailles, dans la grotte de Ben Laden, à épier ce qu'il mijote, dans ton lit, à te parler à l'oreille, partout où tu seras. À moins que les anges soient affectés à des secteurs particuliers, à des tâches précises. Dans ce cas-là, faut pas être triste, mon amour, mon merveilleux amour, c'est une autre vie qui commence pour moi, avec des anges présidents, des anges superviseurs, des anges subalternes… des rapports à produire, des consignes, des comptes à rendre, des ordres à exécuter… La Reine à protéger, t'imagines ?… « Bertin Lespérance, voici votre prochaine affectation : six mois dans les bobettes d'Elizabeth ! Rompez ! » T'es sûre que tu veux pas une puff ?

Mon amour ! Mon bel amour ! Ça n'avait plus d'importance.

Elle lui demanda plutôt une camomille, quelque chose du genre. Il s'étonna qu'elle fût devenue macrobiotique, quelque chose du genre… Ou peut-être se moquait-elle de lui, comme avant, mais il n'avait pas l'intention, non, de mourir dans sa tisane. Elle lui dit, non, non, aucun sarcasme, des envies lui venaient ces derniers temps, comme ça. Il pouffa dans un éclat de boucane, lui demanda si elle n'était pas enfin et finalement enceinte, maintenant qu'il ne pouvait pas être le père. Quarante-sept ans… il n'était jamais trop tard. Elle lui trouva ses petits yeux rouges brillants, son sourire béat de poteux, mangeur de smoked meat devant la télé, et décida qu'il était temps de partir, le bleu

Norvège virait au gris Fargo. Elle lui promit de revenir, absolument, sûr et certain, bientôt, très, mais plutôt en semaine, quand il ne travaillera plus et pour ne pas le priver de ses quilles ; et aussi pour elle, de son côté, à cause des visites libres du dimanche. Il lui dit qu'il pouvait très bien, lui, de son côté, pour elle, sauter des tas de dimanches, elle le savait bien, et qu'il n'avait plus trop de temps à perdre aux quilles. Il l'embrassa sur le front ; elle s'empressa d'enrouler son foulard avant qu'il s'attaque au cou, lui fit deux bises joue contre joue, dans le vide, et descendit l'escalier comme elle fuyait l'hôpital, autrefois.

*

L'Audi était en face, dans le stationnement du Dollarama, à côté du pick-up. Marianne se promit de passer dès le lendemain chez le concessionnaire pour la télécommande qui avait cessé de fonctionner, ouvrit la portière et démarra avec la clé, poussa le chauffage au maximum, ressortit pour prendre le balai dans le coffre. Elle sut, au moment où la portière claquait, qu'elle avait enclenché la fermeture manuelle.

Bertin était sûrement encore à sa fenêtre, emboucané, lorsqu'elle entra dans le Dollarama et s'adressa à la caissière, qui enregistrait les achats d'une cliente :

— Mes clés sont restées dans mon auto, mon cellulaire aussi, le moteur tourne, je suis pressée. Il y a un garage CAA dans le coin ?

— Je pense que Bisaillon, c'en est un… pas sûr, dit la caissière, ignorant Marianne, regardant la cliente dont elle enregistrait les achats.

— Pas Bisaillon, l'autre, là, dit la cliente en regardant la caissière. Tu sais, à la sortie, en allant vers Granby, après le tournant, en face de chez Masson.

La caissière poursuivait son travail, la cliente surveillait les montants sur l'afficheur. Et Marianne attendait, regardant l'une et l'autre.

— Il n'y a pas de téléphone ici, dit finalement la caissière, le nez dans le tiroir-caisse.

Elle prit l'argent des mains de la cliente, lui demanda des nouvelles de son Omer.

— Pas de téléphone ici ? dit Marianne. Ah bon ! Tu parles ! Si je vous donne une piasse ?

La cliente salua la caissière, contourna Marianne figée au bout du comptoir, qui regardait toujours la caissière, qui dénombrait maintenant la pile de débarbouillettes du prochain client. Plusieurs secondes passèrent en silence. Marianne lâcha un mot, claqua les talons, sortit du magasin.

L'instant d'après, un téléphone se mit à sonner sous le comptoir. Les clients en file se regardèrent en souriant.

— Elle est partie à temps, dit l'un deux.

— J'y peux rien, dit la caissière sans lever les yeux. J'ai des ordres. Et puis elle sort de quelque part. Qu'elle y retourne. Il doit bien y avoir un téléphone, là.

DIE ZEBRIN

Le bateau-mouche va d'une rive à l'autre du lac de Zurich, passe sous le pont de Bellevue pour descendre la Limmat, accostant près des carrefours et lieux importants du cœur de la ville. Il est aux trois quarts vide : peu de touristes semblent connaître son existence, et le service est trop lent pour le quotidien des citadins. Unc jeune fille en uniforme amarre le bateau aux quais et aide les passagers à débarquer, embarquer ; un jeune homme, en uniforme lui aussi, fait le pilote, tout sérieux, investi. Les deux sont dans la jeune vingtaine. Des emplois étudiants, manifestement. Ses tâches accomplies, les passagers assis, le bateau filant le long des façades restaurées jusqu'au prochain arrêt, la jeune fille prend un livre, s'installe sur un strapontin à côté du jeune homme et lui en lit des passages, attentive à sa réaction, souriant, cherchant une phrase qu'elle a retenue, heureuse de l'avoir retrouvée et de la lui faire partager.

« *Mon maître me précède. Il m'amène tout près de la femme zèbre. Je me tiens droite et je la regarde, pendant qu'il glisse la main sous mon corsage pour me pétrir les mamelles. La tête de la zébresse est inclinée vers le sol entre ses bras tendus.»*

La jeune fille descend du strapontin, dépose le livre ouvert à l'envers sur une tablette à côté du pilote et va vers le couple de touristes japonais qui lui fait signe de la troisième rangée. L'homme veut la prendre en photo. Elle est grande et souple, très belle. Une lourde tresse miel lui va jusqu'au milieu du dos. L'uniforme accentue le carré des épaules, la finesse de la taille, le creux des reins. Même les souliers à bouts ronds d'allure régimentaire lui vont bien. Elle se place de bonne grâce, naturelle, devant la baie au-dessus de l'espace à bagages à l'avant. Le bateau longe à ce moment la Grossmünster, le touriste japonais s'accroupit dans l'allée pour bien saisir les tours en arrière-plan. Il semble satisfait malgré le contre-jour évident, remercie bien bas la jeune fille, qui retourne sur son strapontin. Elle reprend le livre.

«Sa chevelure est longue, qui pend et lui caresse les doigts. Ils se terminent sur des ongles longs et en bonne santé, couverts d'un vernis rouge profond. On dira qu'elle est bien cornée. La femelle, ne l'oublions pas, est de la famille des ongulés.»

La jeune fille s'esclaffe, elle met une main devant la bouche, l'autre sur le bras du pilote. Elle se soulève légèrement, lui dit quelque chose en approchant la tête, son rire redoublé la mène tout près de l'oreille ; la tresse suit, frôle le bras du pilote, tendu vers une manette. Un gargouillis ébranle le bateau, on approche d'un quai. Elle juge avoir le temps de terminer le paragraphe.

«Mon maître se penche pour tâter ses mamelles à elle, qu'elle a belles. Le dompteur continue d'une

main son va-et-vient dans l'anus, et entreprend de l'autre main une activité similaire avec sa verge.»

Elle dépose le livre, se hâte vers ses tâches. Quelques passagers descendent, de nombreux montent. Elle accueille chacun, aide une vieille dame à s'asseoir, retourne à l'avant chercher des suçons pour les deux familles indiennes qui investissent la banquette transversale, à l'arrière. Les enfants vont d'une fenêtre à l'autre avec des cris. La jeune fille remonte l'allée centrale en s'assurant que tout est en ordre et regagne le strapontin.

Un couple dans la quarantaine, moitié touriste moitié natif, s'intéresse à l'équipage depuis le terminus, à Zürihorn.

— Je serais curieux de savoir ce qu'elle lui lit, dit Bertin.

— Ça semble assez divertissant, en tout cas, dit Beatrice.

— Le gars n'a pas l'air trop intéressé.

— Ou il l'est trop pour le montrer, dit Beatrice en souriant et en glissant sa main entre les cuisses de Bertin.

«Viennent encore ces mâles flanqués de leurs proies plus mûres, marquées de meurtrissures. Je suis de la catégorie proie mûre. Zébra, cette femelle enculée que je ne connais pas, fait partie de ma catégorie. Elle remue maintenant, mais à peine, une croupe pleine qui me fait mouiller.»

Le bateau gagne rapidement le milieu de la rivière, le prochain arrêt est la gare. Le passage sous le pont du Rathaus provoque un tel émoi chez les enfants indiens que la jeune fille doit abandonner sa lecture et renouveler les consignes de sécurité aux parents. Bertin l'a regardée descendre l'allée, n'a pas osé se retourner, et il s'intéresse, en attendant qu'elle revienne et qu'il la voie aussi de dos, à l'animation de Limmatquai, à leur droite.

— Tu pourrais aller demander quelque chose au pilote et essayer de lire le titre, dit Beatrice.

Mais déjà la jeune fille remonte l'allée. Ses fesses effleurent le nez de Bertin, cabriolent avec la tresse un bref instant à sa hauteur alors qu'une vague opportune secoue le bateau, et repartent, musclées à travers l'étoffe grise, se réinstaller sur le strapontin, de plus en plus proche du pilote. Car il est fixe et pivotant, ce strapontin, la jeune fille ne s'y appuie plus que du haut de la croupe, ses jambes disparaissent sous le tableau de bord, où manœuvrent celles du pilote, qui lutte contre la rivière et ses sirènes.

— Tu vois, dit Beatrice, c'est le Lindenhof en haut – non, là, à gauche, lâche la droite, elles sont passées, les jeunes fesses –, tu te rappelles ? Tu me lisais des passages de *L'écume des jours* dans le texte, je comprenais un mot sur quatre. Mais les nénuphars dans le cœur, je trouvais ça tellement joli.

— C'était pas *Compartiment tueurs* ?

— Mais non, voyons, Japrisot c'était pour mes cours de français. Je devais écrire des résumés de lecture pendant le congé d'été, tu faisais mon dictionnaire en me tripotant sur la plage, à Sète. Après on est passés à *Phèdre,* la syntaxe tordue... *Tout m'afflige et me nuit, et conspire à me nuire...*

— ... *Comme on voit tous ses vœux l'un l'autre se détruire.*

— Ah oui, il y avait aussi : *Soleil, je te viens voir pour la dernière fois.*

— *Vous mourûtes aux bords où vous fûtes laissée.*

— Tu parles ! Un rien me faisait rire... Non, *L'écume des jours,* c'était au retour à Zurich, pour notre plaisir, pour me séduire. Je me rappelle, tu me faisais la lecture, c'était la nuit, avec juste un peu de lampadaire sur notre banc. Il y avait les tilleuls au plafond, les lumières de la vieille ville en face, les vieux messieurs qui jouaient aux échecs sur le jeu géant. On avait sûrement plein de cigarettes, une bouteille de vin. On ne parlait pas des enfants, on ne savait pas ce qu'était un REÉR. On voulait coucher là.

— C'était l'époque où je pouvais te passer n'importe quoi pour du français, surtout le mien, c'était tout beau, du moment que c'était de moi.

— J'arrivais pas à prononcer feuille, œil, ça sortait foïlle, oïl. Maintenant, ça marche : je meuille, tu t'émeuilles, effeuille-moi, suceuillons-nous, drette là, sur le seuil... Tu peux encore me dire toutes sortes de choses, c'est encore mieuille depuis que je compreuille.

— N'empêche. Qu'est-ce qu'elle peut bien lui lire ? Moi, je dirais pas divertissant, je dirais mystique, non ? Ron Hubbard ? Raël ? Raoul Duguay ?... Tu lui trouves pas la figure toute réjouie comme par une révélation ?

— Mais non ! Tu l'as vue pouffer de rire tantôt ? En tout cas, il ne s'agit pas de révélation idiote. Moi je dis que c'est de la poésie, c'est de leur âge... Rilke. Bachmann. Fontane. Sûrement pas Brecht, c'est passé. Dylan. Cohen. Ou bien ils apprennent tous les deux le français et elle lui lit du Rimbaud. Encore mieux : du Prévert… Du Corneille, tiens ! – le vrai, pas le crooner. Ou encore : elle prépare son année de stage à Montréal, elle lui lit Miron… Vanier. Langlais. Desgent.

« Je suis la femme girafe aux taches polygonales qui n'a pas de cordes vocales. Je fais passer la robe au-dessus de mon long cou en inclinant la tête. On me fait ensuite comprendre de me glisser sous la zébresse qui se tient toujours à quatre pattes. Il faut voir le jus lui coulant le long des cuisses. »

La jeune fille est maintenant debout, la tête tout près de celle du jeune homme, qui garde le cap, Hauptbahnhof en vue. Elle tourne la page, cherche, tourne une autre page, trouve, tourne le dos aux passagers, étend le bras derrière le pilote et fait lentement pivoter son siège de gauche à droite et de droite à gauche.

« Mais les dompteurs imposent des interruptions. Les premières durent quelques minutes pendant lesquelles les lèvres des sexes femelles se gonflent et se dégonflent. On mesure l'excitation des dompteurs à la longueur des temps d'arrêt : plus le pénis les travaille, plus ils ont besoin de se concentrer sur les femelles accouplées qui les font saliver. »

Le bateau est sur le point d'accoster. La jeune fille a déposé le livre sur la tablette. Elle se penche pardessus l'épaule du pilote comme si elle voulait lui montrer quelque chose devant eux, sur le débarcadère. Et Beatrice voit bien qu'elle dépose rapidement un baiser dans le cou du pilote ; peut-être même une lichée dans son oreille, mais elle n'en est pas certaine, car les passagers se lèvent, et la jeune fille est déjà au portillon, l'amarre en mains, souriante.

Très heureuse d'avoir renoué avec les dimanches de son enfance, en excursion sur le lac avec ses parents, Beatrice, en sortant, s'approche du pilote pour le remercier et en profite pour jeter un œil sur le titre. Elle ajoute qu'il devrait faire attention au soleil à travers le pare-brise, sa figure est toute rouge. Elle remercie aussi la jeune fille pour la belle balade et va rejoindre Bertin qui l'attend plus haut.

— Donc ?

— Ben, je sais pas. *Die Zebrin,* ce serait dans le genre de *La femme zèbre*... J'ai pas vu de qui, le livre était relié. *La zébresse*... Ça existe comme mot en français, « zébresse » ? Jamais entendu « Zebrin » en allemand, en tout cas. En tant que thécaire patenté, ça te dit quelque chose ?

— *La zébresse,* oui, je connais ça. Des nouvelles. Drôle de coïncidence. Mais ça n'a sûrement pas été traduit en allemand.

S'OCCUPER DE JACQUES

L'ex de Bertin disait qu'il s'occupait de son chien Jacques comme d'autres s'occupent de leur auto, c'est-à-dire mieux que de leur enfant. La boutade est évidemment malhonnête, mais classique, goûtée pour son cynisme et fait toujours marcher les bien-pensants. Il est pourtant clair que les soins prodigués au chien ou à l'auto sont plus simples, plus unidimensionnels que ceux indiqués pour l'enfant, et qu'ils sont donc susceptibles de donner des résultats plus convaincants, plus satisfaisants. Par exemple, chien et auto répondent sans rechigner au carburant conçu à leur intention, aux produits d'entretien qui les font reluire et aux régimes.

Pour quelqu'un comme Bertin, correcteur, travaillant sept jours sur sept, mais à la maison et à petites touches, habitant seul après en avoir sué avec l'ex, ne combattant aucun démon, aucune servitude, n'entretenant aucune obsession ou manie majeure, n'ayant pas vraiment d'autres préoccupations dans la vie que celle de soigner le vernis – culture, consommation éclairée, nourriture raffinée, notamment la baguette quotidienne du Bricheton pour laquelle il se tapait un détour par l'avenue du Mont-Royal et endurait le bagout de la grosse pouffiasse de patronne –, le chien faisait merveille comme exutoire aux besoins primaires : maternage, aération, exercice, socialisation, jeu, combat, cour à ces dames, duels de prestige et de dominance, « pisser plus loin, plus dru sur tout ce qui ne se mange pas ou ne se baise pas », comme disait l'ami Paul. Mais, insistait l'ex, bien-pensante d'occasion qui avait, elle, pour primordiale préoccupation de vendre plus cher que la veille la dernière des niches du Plateau, un chien, un enfant, une auto... n'était-ce pas un peu odieux de mettre tout ça dans le panier des loisirs, alors qu'il y avait dénatalité, maltraitance, abandons, irresponsabilité, ressources épuisables, Ground Zero, terrorisme, génocides, tueries, Bush, famines, pauvreté, Ben Laden, pétroguerres ? – l'ex ne se mangeait pas, ne se baisait plus, et quelles conneries de mauvaise foi, se disait Jacques ; mais comme il était bien élevé, il se retenait de lui pisser dessus. Bertin répondait à l'ex que le chien, sur l'échelle des dérivatifs, était à mi-chemin entre l'enfant et l'auto ; ou entre l'enfant et tout autre chose qu'un taré choisirait d'adopter : une scie à chaîne, une machine à coudre, par exemple. Alors il s'occupait de son chien comme certains de leur scie à chaîne ou de leur machine à coudre, c'est-à-dire mieux que de leur enfant.

*

Si Bertin avait à cœur le bien-être de son chien, il n'accotait pas certains propriétaires – l'épicène est ici bienvenu – de sa connaissance, ces intendants de cabots-rois qui squattaient le Parc à longueur de jour, y tolérant à grand-peine des activités qu'ils estimaient préjudiciable aux équilibres physique et moral de leur chéris pisseurs, à savoir pique-niques, assemblées de guitares, de flûtes, de tam-tams, football – pas moins l'italien que l'américain –, baseball, volley-bal, gymnastiques et ruminations transcendantales, scoutismes et prosélytismes juvéniles de tout acabits, sans parler du taï chi, certainement la plus agressive des manifestations, qui excitait les cabots-rois les plus imperturbables de par sa gestuelle langoureusement menaçante. Et encore, s'il n'y avait eu que piétons, flâneurs, coureurs, cyclistes, joueurs, péroreurs, liseurs… Il y avait l'enfant-roi, toutes grandeurs et saisons confondues, particulièrement les préscolaires et l'été. Car, les mains souvent poissées de confiture et de beurre d'arachide, émettant de telles stridences, de tels rires convulsifs et criards au détour d'une allée ou perchés sur une balançoire, les enfants-rois se ruaient – eux, si miniatures, si chambranlants, si vulnérables au moindre retour d'affection, à la moindre lichée – sur le cabot-roi, confondant vie et peluche, cherchant à lui caresser les cheveux, à l'enserrer, à le chevaucher, l'éprouvant étourdiment, sabotant une éducation – le « dressage », c'était pour les indigents – souvent chèrement acquise auprès de réputés spécialistes. Et certaines journées, certaines périodes où les Autorités incitaient l'enfant-roi et son propriétaire à la fréquentation du Parc, sans considération pour le cabot-roi – pire, en le confinant, en périodes de grande affluence, aux allées asphaltées et aux promenades en laisse –, l'intendant, ne s'estimant pas moins contribuable que le propriétaire d'enfant, accentuait sa guerre d'occupation.

Témoin, en pleine heure de pointe, un magnifique samedi de mai, cette fête au champagne sur le terrain 3 pour souligner les quatorze ans de Jean-Claude, un Belge dominé, enjoué, castré – enjoué parce que castré ? c'était la théorie que réfutaient les intendants protesticules, très minoritaires et se tenant plutôt sur le terrain 2. Outre Bertin et Jacques, on avait vu à cette fête Justine, Charlotte, Jeannine, Édouard, Martine, Francesca, Théo, Natacha, Isabelle, Bernard et André, Mario, Arthur, Marianne, Myriam, Marie-Françoise, Nicole, Omer, Louise, Richard, les deux Henri, Sacha, Élisabeth, Brian, Gérald ; et quelques autres que Bertin et Jacques ne connaissaient que de vue ou d'odorat. L'organisatrice et intendante de Jean-Claude, Isabelle, une designer de vêtements – mal chaussée puisqu'on voyait régulièrement ses dessous –, avait pensé à tous sans discrimination : pour les cabots-rois, croustilles de peau de requin, guacamole de boudin grillé, jus de sanglier, rillettes à la tripe d'écureuil, croquettes au bacon irlandais, greenies au basilic, Paris Pâté, foie séché, tendons de Hereford en tresses, semelles de bottes alpines, pain multicrottes ; pour les intendants, Mumm's bien frappé, nectar de légumes suisse, jus biodiversifié, eaux importées – Watwiller alsacienne, Arkland arménienne, Gleneagles écossaise –, caviar caspien sur craquelins australiens, canapés peau-des-fesses. Et parce qu'on avait de la classe, gobelets, coupes, verres, écuelles de Chez Prince, traiteur du Laurier-dans-l'Est, qui avait depuis longtemps flairé la tendance cabot-roi du quartier et qui s'était adjoint les services d'un publiciste terre-neuvien, Oussama, pacifique et baveux, adoré de ces dames, sympathique renifleur de dessous de jupes.

Ce terrain 3 servait aux fêtes et rassemblements revendicateurs. C'était aussi un lieu de discussions et de ressourcement – à l'instar des congrès, colloques, symposiums auxquels les intendants du Parc, professionnels et célibataires pour la plupart, ne se lassaient jamais d'assister. Ce samedi-là, on avait parlé en plénière de cuisine, de médecine, de soins, de pédagogie ; en petits comités, d'otites à répétition, de traumatismes, d'allergies aux paniers en rotin et au tartare, des vertus comparées des saumons, l'atlantique et le pacifique, d'avocats spécialisés en garde partagée, de digestion, de guides alimentaires, de comportements délinquants et de socialisation, des meilleures écoles, d'homéopathie, des psychologues à domicile et des gestaltistes – un courant totalement dépassé d'après Francesca, l'infirmière en congé de surmenage définitif, femelle d'un chic à éblouir le plus blasé des mâles. On avait fait l'unanimité sur le besoin d'échapper régulièrement à la ville, sur les bienfaits de la campagne sur l'humeur du cabot-roi – ah ! la campagne, malgré les sous-bois chardonneux, les perdrix effrayantes, les mouffettes sournoises et porcs-épics en boule, les chevreuils trop rapides. On avait en chœur appréhendé le smog et les canicules, redoutables pour les chevelus et les vieux. On avait jalousé Charlotte, qui voyagerait bientôt en siège d'avion et qui passerait la prochaine année dans un appartement du 16e, un arrondissement qu'elle connaissait bien. Et, sans vouloir être snob, Natacha s'était rappelée la joie de faire dans les rues de son

Paris natal en toute latitude, sans la honte d'exhiber un sac vert et jaune de Dollarama – il y avait franchement pire, s'était récriée Marie-Françoise : exhiber le sac du Métro Chevrefils. On avait bien ri et porté un toast à la grossesse de Justine, que Brian, le Bernois, n'avait pas ratée ; et un autre au fêté, l'inépuisable Jean-Claude, qui, sitôt le jus de sanglier lapé, s'était lancé à la poursuite d'Élisabeth, superbe blonde Marie-couche-toi-là, surnommée La Bethy par ses détracteurs. Le cabot-roi n'appréciant guère la bascule, on avait couvert Jean-Claude de câlins, de becs sur le nez, et on avait beuglé c'est à ton tour.

Un type qui se tenait un peu à l'écart se présenta enfin : Fred. Il avoua débarquer d'Outremont – là où les bar-mitsvah, les cabots-rois et les bedaines étaient interdits dans les parcs. C'était sa première visite, il venait d'emménager, il explorait le quartier, il avait vu de loin l'assemblée. Comme son cabot-roi, platement nommé Tofu, plaisait à Jean-Claude, Isabelle lui ficha une clownerie sur la tête, un zooppsviii dans la gueule et une écuelle de Mumm's entre les pattes, lui souhaitant la bienvenue malgré sa provenance. Et comme il montra son étonnement devant la condition physique de Jean-Claude, qui était de toutes les compétitions malgré ses quatorze ans, Marianne lui expliqua, condescendante, qu'ici, dans le Parc, on avait adopté l'échelle de Markus Grandjean, gourou et auteur de *Psycho-pédagogie canine,* selon laquelle les dix-huit premiers mois du cabot-roi équivalaient aux deux cent quarante premiers de l'enfant-roi. Et comme Fred était grand, bien planté, bien charpenté, blond aux yeux bruns, avec de toutes mignonnes touches de gris au menton et sur la poitrine, Marianne lui demanda son adresse pour lui prêter le livre en question, qu'il ne connaissait pas. Et Linda releva son chandail jusque sous les mamelles pour lui montrer la cicatrice de sa récente opération ; et Martine lui demanda ce qu'il faisait dans la vie et le lendemain soir ; et Brian et Arthur, l'un jaloux, l'autre enjoué, lui rentrèrent dedans à grands coups d'esbroufe et de langue chaude ; et Justine, curieuse, s'approcha discrètement pour lui sentir l'entrejambe. Et Charlotte le mit en garde contre les chiens qui distribuaient les contraventions.

— Bienvenue dans le maquis ! jappa quelqu'un.

— Opprimés, unissons-nous !

— Un toast à la résistance, c'est dans l'adversité qu'on forge l'amitié !

— Sous les pavés, l'asphalte ! Solidarité ! beugla Mario.

— So-so-so sodomie ! reprit André, dont la gaieté était notoire et contagieuse puisque Bernard se mit aussitôt à exécution sur Richard.

Et on se mit à parler police, réglementation, brigade, harcèlement canin. Tout un chacun avait son histoire de contravention évitée, reçue, contestée. La situation était abusive, discriminatoire pour les intendants et leurs droits fondamentaux, exacerbée par les aficionados d'enfants-rois et d'hygiène publique qui se targuaient d'investir dans l'avenir de la race, oui, mais à grandes doses de surgelés, garderies, réformes bureaucrato-scolaires, télé débile bien qu'éducative. En famille canine, comme maintenant – un toast à la famille canine ! –, on pouvait leur clouer le bec, à ces bien-pensants. Ensemble on allait gagner ! On songeait d'ailleurs à organiser des relais de groupes-vigiles d'occupation à des endroits stratégiques du Parc. Car, solitaire comme souvent Bertin l'était dans sa promenade bucolique, l'esprit au Grevisse plutôt qu'à la police, l'intendant était vulnérable et se retrouvait parfois sommé de contribuer, par une amende salée, à l'entretien des cols bleus.

Et comme de fait, un tôt matin de novembre, foulant les feuilles rabougries, discutant de l'accord du verbe qui a pour sujet un collectif et du recours à l'indicatif dans la proposition substantive pour marquer la réalité du fait dans la principale, Bertin et Jacques furent interceptés par un représentant des Autorités qui, l'œil délégué, carnet à la main, surgi de derrière l'arbre où il était tapi, intima aussitôt à Jacques l'ordre de s'attacher et à Bertin celui de s'approcher, mains en l'air, en s'identifiant au nom de la loi. Bertin se gratta derrière l'oreille, renifla, fouilla ses poches, se désola de n'avoir sur lui que des mouchoirs comme papiers, il n'était d'ailleurs pas tenu, en ce pays, d'en traîner d'autres. L'agent de la paix dut en convenir, puis observa, contrarié mais fier, la chance qu'on avait de vivre au Canada…

— Terre de nos aïeux, crotte de beu ! chantonna Jacques, ajoutant un rire et tirant une pisse en direction de l'uniforme.

L'officier se mit alors à constater le délit – *dans un parc ayant conduit un animal (chien) sans le tenir en laisse* –, prévenant Bertin que tout faux renseignement serait contre lui retenu, qu'un avocat ne lui serait pas utile mais qu'il y avait droit, qu'il pouvait bien contester la perpétration de l'infraction, mais que. Et puis, la prochaine fois, on ne rirait plus, il y aurait outrage, que l'insulteur soit un chien ou son porte-parole.

*

— Pas de bavette ce soir, avait annoncé Bertin à Jacques sur le chemin du retour, pas de PBS, pas d'Historia, pas de biscuits, pas de Desjardins, pas de Neil Young, pas de copains, pas de Parc pour une semaine. Et pas de pain de la pouffiasse. Ça t'apprendra – finiras-tu par comprendre ? – à te la fermer quand papa parle à d'autres chiens. Race de jaloux. Ingrat. C'est toute la reconnaissance que tu as envers moi, qui me prive de voyages, qui refuse tout contrat à l'extérieur, tout engagement de 9 à 5, qui évite et décline des invitations de prestige, juste pour t'épargner la solitude du tapis et la garderie ? C'est ainsi que tu me remercies ? pour ces cours privés, ce toilettage d'institut, cette nourriture de prince, ces oméga-3, vitamines, vaccins, pilules ? Cent quarante et une piasses de contravention, rien que pour la satisfaction d'en pousser une comique et une chaude, je me demande bien où tu as pris ça, ce n'est certainement pas l'éducation que je t'ai donnée mon petit bonhomme, ça vient de Richard probablement, le même pas délinquant, le juste mal dégrossi, la mauvaise graine, c'est une erreur de te laisser jouer avec lui, tu devrais avoir assez de jugement pour ne pas tomber sous l'influence de tout un chacun, SPCA, DPJ, centres jeunesse, tu sais ce que c'est ?

tu sais ce qui arrive aux enfants qui ont des troubles de comportement ? j'ai bien envie de, je ne sais pas ce qui me retient.

Il l'envoya se coucher sitôt arrivés.

Puis il réalisa, une fois décoléré, que ce n'était pas vraiment une punition pour Jacques dont le sommeil était la principale activité. En fait, il s'avéra au cours des jours suivants que les mesures prises affectèrent peu Jacques. Il eut à manger ; il fut promené puisque rien n'était prévu dans l'appartement pour les besoins ; il ne se retrouva pas seul puisque Bertin devait honorer ses engagements et qu'il n'avait aucune intention de perdre ses journées autour d'une machine à café de bureau aseptisé. La privation de PBS et d'Historia le contraria un tantinet, mais il s'accommoda de Radio-Canada et de ses talk-shows, appréciant, de toute façon et par-dessus tout, le son des voix et des rires. Richard Desjardins ? Neil Young ? Bertin ne s'en priva pas très longtemps lui-même. Les copains et copines lui manquèrent, mais les retrouvailles n'en seraient que plus débordantes, et le Parc n'était pas très jojo en cette période de l'année, juste avant la neige : l'herbe figée dans le frimas du matin, les flaques d'eau à demi gelées, les vents froids des espaces découverts… Aussi bien trottiner, même en laisse, dans les rues abritées en attendant les sports d'hiver.

Alors à sept heures d'un matin de début décembre, gris, transperçant, humide, Bertin et Jacques se pressaient en fin de promenade dans les rues du voisinage vers leur déjeuner. Ils aimaient ce moment tous les deux, Parc ou pas. Ce serait le journal, le café, la tartine, le bouillon de poulet et les sardines, un peu de mots croisés ; puis l'installation à la table de travail et sur le tapis, aux pieds ; il y aurait le vent dans les arbres et la chaleur de la radio en sourdine, un câlin de temps à autre, un mot doux, un des cent cinquante que Jacques comprenait. Ils passèrent devant une école. Deux enfants étaient assis sur le palier, appuyés contre la porte, le sac à dos leur tenant lieu de coussin. Ils ne se parlaient pas.

JE PRENDS TOUS LES COMPLIMENTS

« En plus, Bertin Lespérance, c'est un nom profil pour un agent de sécurité. »

J'avais souri, ballotté comme un candidat. Plus tard, dans le métro, j'avais ruminé la chose : « En plus de quoi ? » En plus de mes qualités ou de ce qui me réduisait à ces emplois ? Et puis je n'aimais ni mon nom ni mon profil, juxtaposer les deux pour en faire quoi ? un compliment ?

*

Les entrevues s'étaient déroulées dans ce qui avait été un logement, dans le salon double converti en bureau, où semblait être chez lui un tout jeune adulte bien mis poli. Triplex anonyme, deuxième étage. Escalier extérieur, balcon recouvert de gazon synthétique, rideaux de mousseline aux carreaux. J'avais tout de même sonné, pas mal certain d'avoir bien noté l'adresse. Une superbe femme dans la cinquantaine en tailleur et souliers de marche était venue répondre, m'avait conduit à l'arrière, dans la pièce ouverte sur la cuisine, les deux séparées par un paravent gouvernemental.

Elle m'avait prié d'attendre et s'était assise derrière un bureau dans ce qui avait jadis été une cuisine familiale de triplex, deuxième étage, le tout jeune adulte bien mis poli se sauvant par l'escalier du hangar dans la ruelle, les soirs d'été, blé d'Inde dans une main, rhubarbe dans l'autre – des fraises, des fraises, des belles fraises... strawberry, des fraises. Et je me retrouvais là, assis dans la pièce où on logeait les plus jeunes pour les avoir à l'œil, me demandant s'il était sensé qu'une entrevue de sélection se déroulât dans un cinq et demi. On marchait au troisième. Et la secrétaire, entre le frigo et l'évier, qui tapait sur son clavier. Grincement d'une corde à linge. Rugissement de camion, bruits d'assiettes, ces bruits qui me faisaient tellement pleurer. Ma superbe mère me plaquait sur le front des tranches de patates crues quand la tête voulait m'éclater. Je ne sais pas où elle avait pris ça, elle ne le faisait pas pour ses migraines à elle. C'était ma chambre, cette salle d'attente, une pièce semblable, deuxième étage d'un triplex, ouverte sur la cuisine. Il faisait chaud, j'entendais la secrétaire taper derrière la cloison. Il y avait des magazines sur une table basse. Le jeune adulte était venu me chercher, on était passés au salon, il avait fermé la porte derrière moi, et j'avais attendu ses questions dans mon habit du premier de l'An, les jambes croisées. En visite. À la maison.

*

Très bonne entrevue. Voix assurée, regard franc, gestes posés, répliques à-propos. Je me sentais tellement chez moi dans ce salon. La superbe femme arriverait avec une assiette de gâteaux et un plateau de boissons. Je voyais très bien où les parents avaient installé la télévision, le canapé à jupe, l'étagère à bibelots, le fauteuil du père. Le paysage laurentien accroché au mur derrière le jeune adulte ne plaisait pas tellement à la mère.

La secrétaire m'avait rappelé une semaine plus tard. La seconde entrevue aurait lieu à la même adresse. Deux oncles étaient déjà là, du genre inspecteurs, imposants, carrés, moustaches fournies. Et le jeune adulte aussi bien mis poli que la première fois, qui posait d'autres questions. Sur mon aptitude à gérer un psychopathe, à transiger avec un comique. Sur ma cordialité, ma diplomatie, ma réserve, ma discrétion. Ils s'étaient mis à me tutoyer, le jeune adulte bien mis poli surtout – pour m'éprouver ? c'était gros : comment réagirais-je si un tel jeune nombril fonctionnaire, à la première étape de son parcours vers la retraite, en faisait autant ? À la fin, le plus mononcle des deux inspecteurs avait lancé la remarque sur mon nom et mon profil, ce qui devait être le signe convenu : l'affaire était réglée.

On avait confirmé mon embauche le lendemain. Quelqu'un d'autre que la superbe secrétaire du jeune adulte. Je ne revis ni l'un ni l'autre, ni aucun des deux inspecteurs. Pour les formalités, ce serait ailleurs. Un édifice gouvernemental à dix ascenseurs, gardé par un Bertin Lespérance aux commandes d'une console dans un enclos conceptuel.

Paramètres fiscaux et salariaux, serments de confidentialité, mesures pour l'uniforme et les souliers. Entretien psychométrique, examen physique. Ils m'avaient fait consulter un neurologue, rapidement. À cause des migraines que je leur avais déclarées.

*

Un autre logement, rez-de-chaussée de maison spacieuse, même quartier que celui du jeune adulte bien mis poli, boiseries de chêne, salons doubles à l'avant, des deux côtés du couloir. La secrétaire, moins superbe, m'avait annoncé que le docteur était prêt à me recevoir. Le cabinet était de l'autre côté du couloir, dans l'autre salon double. Au moment où j'entrais, il était debout à la fenêtre ouverte à fumer une cigarette. Il m'avait salué, était retourné derrière son bureau, avait écrasé dans le cendrier plein, remis son veston. Un grand-père de soixante-cinq, soixante-dix ans, qui mangeait les mots. Il m'avait posé des questions sur le ton bourru d'un neurologue qui en avait vu d'autres, en me vouvoyant avec la pointe d'ironie des grands-pères tenus par leur fonction à vouvoyer des petits-fils. Il avait à peine écouté mes réponses, n'avait pas attendu que j'aie fini pour me demander autre chose. Il regardait ailleurs, prenait quelques notes en montrant que ça n'en valait pas la peine, qu'il avait vu neiger, que mon cas n'était vraiment pas spécial. Il avait le goût de s'allumer une autre cigarette, je le sentais. Il en était venu aux antécédents familiaux. Est-ce que quelqu'un dans ma famille souffrait aussi de migraines ? Je lui avais dis que ma mère avait eu mal à la tête toute sa vie, ajoutant qu'elle était morte dernièrement. Il m'avait vraiment regardé pour la première fois, grand-père, et m'avait tout doucement demandé : « Elle est morte de quoi, ta maman ? »

Ce n'était pas pour m'éprouver.

*

On m'affecta à l'entrée de mon école primaire, convertie en centre de recyclage pour fonctionnaires. Rectangulaire, brique rouge et pierre bosselée, façade tout en fenêtres – autant d'interdictions de regarder dehors, autant de clarté à migraines – plafonds perdus, larges couloirs pour la circulation, en silence, deux par deux dans les deux sens, on ne traîne pas. La cour, nouvellement asphaltée, marquée d'espaces de stationnement. Et les toilettes, pisses retenues jusqu'à la récréation, à l'odeur de porcelaine, à peu près transformées pour la mixité : un mur avait été érigé, qui séparait en deux et la salle et la céramique du plancher et le lavabo circulaire jadis planté au milieu – la gentille maîtresse m'y tamponnait le front et les tempes avec une serviette mouillée quand j'en avais mal jusqu'aux larmes. Mon bureau, au sens mobilier, était face aux portes où aboutissait l'escalier intérieur de l'entrée principale, celle qui ne servait qu'aux parents, en plein centre de l'édifice qui occupait tout un bloc, d'une rue à l'autre. Un quartier maintenant calme, aux trottoirs bordés d'arbres. En face de l'école, des logements sept enfants, habités par des couples gominés et des gagnants à l'étroit, de ceux qui n'ont jamais le temps.

L'endroit n'était pas très fréquenté. Une cinquantaine de personnes par jour, pour la plupart formateurs et gestionnaires. Peu de visiteurs. Ma tâche consistait à faire consigner entrées et sorties. Et, comme mon nom en avait le profil, à assurer la sécurité, en l'occurrence une présence. Les gens arrivaient le matin dans un silence de cloître. Les salutations rebondissaient sur les murs nus et hauts, plusieurs me tutoyaient. Les pas claquaient, plancher craquant, jusqu'à l'ascenseur. Ils allaient manger le midi, faire les courses pour le soir. Ils revenaient me tutoyer à une heure, signaient leur départ à quatre heures et demie. À cinq heures moins dix, les deux colonnes devaient s'équilibrer. Sinon.

Je pense que je n'aurais pas su quoi faire sinon.

Ce devait être évident. Appeler la police, j'imagine. Mais j'aurais hésité. Pourtant, une fois. On m'avait demandé un peu de surtemps, une session de formation de soir. Il était vingt-deux heures trente, par là. Les gens étaient partis, les deux colonnes s'équilibraient. Deux types étaient écrasés sur la pelouse devant, une bouteille vide pas loin. Ils ne bougeaient pas.

Autrement, il n'y avait aucun gardiennage de nuit, le système d'alarme prenait la relève. Les appareils étaient peut-être dépassés, je n'y connaissais rien. Il y en avait très peu, de toute façon, on avait surtout besoin des anciennes classes aux nombreuses fenêtres. Et encore, vu la grandeur de l'édifice et le nombre de fonctionnaires qui consentaient à se recycler.

Alors, sous les néons du large couloir aux murs nus et plafonds hauts du rez-de-chaussée, assis derrière le bureau garni du registre dont j'avais la responsabilité, dans ces lieux qui ne me rappelaient somme toute plus grand-chose, j'enfilais mots mystères et mots croisés, me demandant parfois en quoi

Bertin Lespérance était le nom profil pour un agent de sécurité.

Ou peut-être ne me le demandais-je plus, on prend rapidement les compliments pour acquis.

PETIT MARDI JUSQUE-LÀ

La journée de Justine avait commencé peu avant son départ de la bibliothèque, à seize heures trente-huit. Petit mardi jusque-là, depuis le chariot des guides de voyage qu'on lui avait apporté à neuf heures treize – elle laissait tomber les secondes –, peu après le démarrage de l'ordinateur, le survol des courriels et de l'intranet, la saisie de la feuille de temps et le premier thé, jusqu'à celui des romans allemands, à quinze heures quarante-trois. À dix heures douze, elle avait parlé aux filles qui lui préparaient les documents au sujet de son intervention sur des champs du dossier d'exemplaires qu'elle devait mais n'arrivait pas à mettre à jour – elle ne savait pas pourquoi, elle n'avait jamais été très intuitive en informatique ; et aussi à propos de l'étiquette de localisation qu'elle apposerait ou non – plutôt non, merci, lui avait dit Carole, une technicienne gothique qui intimidait beaucoup Justine, ça n'allégeait en rien leur travail, même qu'à la limite ça leur en donnait, parce que, excuse-moi, un thécaire, hein, c'était peut-être trop diplômé pour poser une étiquette à la bonne place, sans masquer l'information, et puis Bertin faisait bien ça, elle pouvait toujours lui demander conseil, ils ne se parlaient pas elle et lui ? À onze heures vingt-trois, elle avait intercepté Wendy, la coordonnatrice toujours débordée, lui déboulant quelques mots, non au sujet de l'indexation de Bertin mais du niveau de traitement souhaité pour la collection multilingue ; au sujet aussi non des indices douteux de Bertin, mais des fautes d'orthographe dans les notices traitées à l'externe – sans grande importance dans les deux cas, lui avait répondu Wendy en continuant à courir, la clientèle ethnique allait directement sur les rayons, et les résumés n'étaient pas affichés au catalogue public. Elle s'était levée quelquefois, pour aller aux toilettes, pour réchauffer son reste de ratatouille à la cafétéria des employés – ratatouille qu'elle était revenue manger dans sa stalle –, pour vérifier un titre sur les rayons, question de décoller de l'écran, de voir un peu d'autre monde que Bertin, etc., remontant les étages à pied, avec un détour par un coin du nouveau bâtiment qu'elle ne connaissait pas encore vraiment, ne s'accordant, pour chacune de ces escapades, que sept à onze minutes pas plus, quinze en attendant son tour au micro-ondes, revenant vite s'asseoir.

Avec l'impression d'avoir arnaqué le contribuable.

C'était là le drame de Justine : Bertin, philosophie allemande, Wendy, guides de voyage en chinois, Dewey, Carole, romans italiens, Bertin, cotes abrégées, catalogue, Cutter à quatre chiffres, Bertin, dossiers d'exemplaires, Bertin, étiquettes de localisation et fautes de nouvelle orthographe sur nouveaux bâtiments gothiques de notices de l'externe… le travail et la vie en général, ce n'était pas facile pour elle, elle en avalait parfois de travers sa tartine du matin, elle aurait bien voulu que cela lui coulât de 9 à 5 comme sur le dos d'un canard, que cela se vécût légèrement sur le chemin du retour à la maison, que cela s'oubliât, que cela ne lui restât pas longtemps entre les deux oreilles une fois les pantoufles aux pieds, que cela ne l'empêchât pas de dormir la nuit ; bref, que cela l'ennuyât un tantinet, mais encore décemment, comme chez ces gens au-dessus de la mêlée, détachés, condescendants, qui daignaient accepter, contre dédommagement pour le don à l'État de leur temps si précieux, un misérable salaire. Elle n'avait pas ce luxe. C'est pourquoi elle ne s'accordait que sept à onze minutes de distraction pas trop souvent, qu'elle n'était branchée, contrairement à la plupart de ses collègues, sur aucun bidule électronique, lecteur, baladeur, qu'elle ne se permettait aucun courriel personnel – à qui, d'ailleurs ? à Théo ? – et qu'elle n'entretenait aucun autre répertoire de sites que ceux requis par la mission institutionnelle. Tout au plus reposait-elle ses yeux à la fenêtre, aux heures, sur recommandation de son oculiste, fixant des coulées de ciel entre les tours du centre-ville, bientôt ramenée aux fonds de cours de la rue Saint-Denis, juste en bas. Elle suivait notamment le développement du tas de pièces hétéroclites, moteurs, cadres de bicyclettes, engrenages sur le toit d'une annexe de restaurant chinois, où elle projetait d'aller manger un de ces vendredis, jour d'occasionnel laxisme, juste pour flairer l'endroit – et peut-être ferait-elle alors une Harry Potter d'elle, se risquant par une petite porte anonyme en allant aux toilettes, surprenant un trafic, une bande de receleurs. Ce n'était bientôt qu'une idée, oubliée le dîner avalé dans sa stalle, probablement due, l'idée, à sa fréquentation répétée de J.K. Rowling et aux romans qu'elle manipulait.

Voilà ce qui se passait et ce qu'elle se permettait.

Mais elle ne pouvait tout contrôler, son travail était autrement perturbé, par le téléphone, entre autres, qui sonnait toujours comme une bombe à son bureau. Par chance les attaques étaient rares – à l'interne, on préférait le courriel –, mais elle recevait, plutôt quotidiennement autour de treize heures trente, un appel de son frère Théo, ce qui l'obligeait à émettre des phrases aux accents personnels. Les autres, en l'occurrence Bertin, tout à coup silencieux dans la stalle voisine, n'avaient pas besoin de savoir. Et elle-même, là, à son bureau, alors qu'elle hésitait, super concentrée, entre une cote et une autre, n'avait pas non plus besoin de savoir, de Théo, quelle était l'humeur de leur mère Alzheimer, la consistance du caca de leurs chats, quelle musique il écoutait à ce moment et quel en était l'effet sur sa trithérapie, ce qu'il avait trouvé comme site gay la nuit précédente sur Internet. C'était Théo, adulte comme il était enfant, bavard, naïf, serviable. Et surtout, depuis quelques années, aidant naturel au rapport : Justine les entretenait lui et leur mère à condition qu'ils restent loin, chez eux ; alors il rendait des comptes. Le sens du devoir, c'était de famille. Elle l'écoutait, regardait l'heure, murmurait des phrases vides, raccrochait en l'embrassant – pas trop bruyamment, Bertin était toujours silencieux derrière elle.

Et puis, il y avait d'autres irritants, surtout l'après-midi alors que la journée pesait et que les cotes demandaient moins de précision : le chantonnement de Bertin, le grincement des roulettes de chariots, les exclamations de Bertin, les hennissements de Nicole, le babil de Bertin, accro du téléphone, ses messes basses avec n'importe qui et son ennemi, les ratés de l'imprimante tout juste de l'autre côté du paravent dans le couloir, les jurons qui s'ensuivaient et les interventions joviales et cordiales de Bertin, expert en débourrage de papier. Et ce qui l'embêtait au-delà de tout : les réunions de travail, nombreuses, longues, éprouvantes. Interactives. La directrice, une Cléopâtre de six pieds neuf, tenait à ce que ses professionnels, comme elle appelait ses bibliothécaires, l'accompagnassent dans ses réflexions, encourageant les initiatives et les idées à se manifester, à rebondir autour de la table – attrapées par Bertin, relancées avec son sans-gêne incompétent. Malgré sa bonne volonté, Justine arrivait toujours trop tard sur la balle, quand elle n'était pas carrément dans le champ. L'histoire de sa jeunesse, le présent tiède, l'avenir salarié. Car à cinquante-deux ans, vingt-cinq d'expérience, elle n'avait d'autre perspective qu'une promotion à la Peter, c'est-à-dire un poste de cadre – qu'on ne lui offrirait d'ailleurs jamais, qu'elle n'oserait d'ailleurs jamais solliciter.

Bertin serait un jour son patron. Autant ne pas y penser.

*

Alors ce jour-là – peu de Théo, pas de téléphone, Nicole absente, pas de réunion, un bourrage de rien du tout, voisinage tranquille –, à seize heures trente-huit, aux prises avec les romans allemands – dont un qui frôlait l'essai : cote à l'auteur ou à 834 ? difficile de trancher –, Justine récupéra par hasard une de ses propres notices – elle en était presque certaine – « rectifiée » par Bertin.

Ils se partageaient l'indexation des romans, traitement que méprisait Justine. Non – quoiqu'un peu – parce que l'idée avait été lancée par Bertin, au grand enthousiasme de la directrice de six pieds neuf, mais parce qu'on ne réduisait pas la fiction, selon Justine, à une enfilade de vedettes-matières conçues pour le documentaire et l'essai. Le roman – ce miroir qui se promène sur les grands boulevards, avait-elle lu de Stendhal –, devait être traité minimalement, pensait-elle encore, entre les lignes, là où il s'était écrit. Mais le projet avait été poussé, elle s'y pliait – et qui lisait encore Stendhal ? Bertin avait ensuite demandé à Justine de lui laisser, simple question de crédibilité, la littérature gay, les romans étrangers et d'aventures – étant donné qu'il voyageait tellement, et loin –, il lui abandonnait avec plaisir – flyée comme elle était, sacrée Justine ! – la romance, la contemplation de nombril et les platitudes québécoises. Elle n'avait pas eu objection sur le principe, c'était la manière.

Elle consulta la liste qu'elle s'imprimait régulièrement. Ce roman-là lui était bien passé entre les mains deux semaines auparavant, une erreur d'aiguillage : Morney Drarvrac, *La randonnée gourmande,* Éditions Equus. Elle ne gardait pas trace de son indexation mais ce n'était sûrement pas ce fatras :

650 #6$aAuto-stop, voyages en$xHomosexuels
650 #6$aÉtudiants étrangers$zAllemagne
650 #6$aCamionneurs homosexuels

650 #6$aCrème à raser
650 #6$aAutoroutes
650 #6$aAmours malheureux$xHomosexuels

Grotesque. Cacophonique. Mauvais travail.

Il était gay, on se le faisait rappeler quinze fois l'heure avec précisions, mais cet exhibitionnisme, ce besoin compulsif de parade...

Elle chercha au catalogue d'autres interventions de Bertin sur ses documents – de quel droit, en plus ? il n'était pas encore son patron –, et elle sentit monter en elle, de l'échine aux oreilles, au fil des notices qu'elle faisait défiler à l'écran, un chaud liquide : il ne s'était pas contenté de retoucher l'analyse des romans qu'il avait estimés de son ressort, il était allé dans toutes les catégories, essais, documentaires, articles de périodiques, des trucs sobrement indexés par Justine la veille ou des années auparavant, auxquels il avait ajouté, elle en était sûre, des vedettes-matières inutiles, absurdes. Elle continua, rappelant d'autres documents traités par Bertin – qu'est-ce qu'il lui prenait, elle, si discrète ? ce n'était vraiment pas ses affaires, il pouvait bien indexer ce qu'il voulait, comme il voulait après tout, des romans gays, des périodiques gays, des sites gays, des DVD gays, des jouets gays...

650 #6$aLutteurs homosexuels$xAssociations
650 #6$aSportifs homosexuels$xAssociations
650 #6$aSports athlétiques$xHomosexuels$vAnnuaires

650 #6$aDessinateurs de meubles homosexuels
650 #6$aHommes d'affaires homosexuels$zMontréal$vPortraits

650 #6$aPompiers homosexuels$vRécits personnels
650 #6$aPoliciers homosexuels$vRécits personnels
650 #6$aServices publics$xHomosexuels$vAnecdotes

650 #6$aCouples d'homosexuels$xAttitudes envers les
650 #6$aDevoirs conjugaux$xHomosexuels

650 #6$aEntretien domestique$xHomosexuels$zMontréal
$vAnnuaires
650 #6$aHomosexuels canadiens d'origine asiatique
650 #6$aÉditeurs homosexuels$xPrix et récompenses$zCanada

650 #6$aEntreprises appartenant à des homosexuels
$xFournisseurs de services Internet
650 #6$aHomosexuels masculins$xComportement sexuel

650 #6$aInternautes homosexuels
650 #6$aConversation interactive (Internet)$xHomosexuels

Justine se leva, buta contre sa chaise, se précipita dans la stalle voisine pour constater, frustrée d'avoir gaspillé une rare montée de lait, que Bertin était parti en laissant sur son clavier l'écriteau qui faisait tant rire parmi les collègues :

> S'il y a vraiment grosse grosse urgence, du genre grosse, je suis dans la première rangée, au bord de la scène du Garçon Cheval, 1824, Sainte-Catherine Est. Sinon, je serai tout tout tout à vous demain, ici même, 9 h.

Elle revint dans son coin, ferma la session, marcha sans politesses à travers le dédale jusqu'à la sortie des employés. Grosse grosse urgence. Elle n'en avait rien à foutre dans le fond, qu'est-ce que ça pouvait bien lui faire ? Et puis qu'est-ce que les gens avaient à s'afficher ?

Elle sortit par la porte nord, donnant sur le jardin. Elle marcherait à la maison.

*

Rue Saint-Denis, c'était encore festival, celui de la rentrée. Au coin d'Ontario, elle contourna l'enregistrement de *Star Démocratie* qui ridiculisait un touriste français à qui on avait étampé le mot « sprignegosses » dans le front. Elle aborda la Côte-à-Baron au milieu d'une initiation d'étudiants en sexologie, dont une drag queen de six pieds neuf qui la sonda jusqu'à Sherbrooke sur ses fantasmes. Un peu plus loin, dans la vitrine de la Librairie du Square, directement au-dessus de sa photo sur l'affiche annonçant son nouveau roman, un auteur archiconnu conversait avec la libraire, un œil sur le trottoir. Il enligna Justine, lui décocha son sourire promotionnel – il portait le même veston que sur la photo et semblable chemise pâle, sembla-t-il à Justine. Elle regarda ailleurs et marcha plus vite. Ce n'était pas l'idée. L'idée, c'était de se sortir Bertin de la tête. Mais la rue, vraiment, c'était trop – et il y aurait d'autres librairies jusqu'à Mont-Royal, et des terrasses de café bruyantes avec plein de Bertin, et des restaurants à la fenêtre desquels risquaient d'apparaître un Bertin hilare, une vedette irrésistible –, elle changea d'idée, n'était-ce que pour une station, et se dirigea vers le métro.

Aujourd'hui, se promit-elle.

Dans le corridor menant aux guichets, encadré par deux publicités des Caisses populaires où une jeune femme sur le panneau de droite, radieuse et pimpante, disait au gérant cravaté sur celui de gauche «Aidez-moi, j'ai trop d'argent», s'escrimait sur sa flûte traversière des années 70 un hippie magané, sombrero triste à ses pieds. Elle regarda passer deux rames bondées. La troisième arriva peu après, presque vide. Elle s'appuya contre les portes du fond, vue imprenable sur l'afficheur électronique et la question quotidienne Télécité : «Croyez-vous en Dieu ? 869-9900». Suivirent une publicité de Brault & Martineau, un poème, l'annonce de la prochaine station, Mont-Royal, les lignes d'autobus affluentes, l'heure, la météo.

Oui, aujourd'hui, elle le lui dirait, à la grosse pouffiasse du Bricheton. Elle n'avait pas besoin de pain, qu'importe. La charcuterie serait bondée à ce moment, tant pis. La voix lui tremblerait, les rougeurs la trahiraient, elle irait jusqu'au bout. Elle avait bien pensé s'approvisionner ailleurs, l'avenue du Mont-Royal ne manquait pas de boulangeries, mais elle aimait la baguette, là. Tout le monde aimait la baguette de la grosse pouffiasse, on se tapait des détours, on risquait la contravention en double file pour la grosse pouffiasse, on faisait la queue, on en parlait à la radio, de la grosse pouffiasse.

Elle sortit de la station propulsée par un courant d'air, poursuivie par un manchot et ses dessins, aussitôt récupérée par un vieux marxiste-léniniste qui exhibait sa littérature en déclarant des aphorismes, qu'elle remercia en butant contre le chien d'un punk assis en tailleur au milieu de la place devant un écriteau sur lequel on lisait à quel point ils avaient faim. Elle fendit la ligne d'attente pour l'autobus, manqua se faire renverser par un cycliste, puis par un autre, traversa la rue en regardant à gauche, klaxon à droite, le chauffeur lui montra le doigt et le trottoir, où un mendiant lui ouvrait déjà la porte du Jean Coutu où elle n'avait aucune intention d'aller. Elle fit rapidement les trois coins de rue, se demanda sur le seuil si vraiment elle ne devrait pas plutôt garder toute toute toute son audace pour Bertin, demain, 9 h.

Elle entra.

La patronne, sanguine, rayonnante, parlait fort en servant les clients. Et trois baguettes, trois, toutes fraîches pour Madameu. Ah mais oui, mon cher peutit Monsieur ! Évidemment que c'est fait sur place, comme vous dites, comment se prétendre charcutier sinon ? Eh ! Oh ! On n'est pas en Amérique ici ! Vous voulez dire les rillettes, Madameu ? ce plat-ci ? Non, ce n'est pas de la terrine, ce sont des ri-llet-teus. Cuites, je vous le signale et le précise, dans de la graisse de toute première qualité, Madameu. Je vous en mets une petite tranche ?

Justine allait d'un comptoir à l'autre, comme jaugeant les produits. Il ne resta bientôt qu'elle et un homme dans la cinquantaine, qui lui céda son tour. Il insista, il n'était pas pressé et n'avait pas encore décidé. Alors elle remonta ses lunettes d'un solide coup d'index et demanda une baguette, refusant celle que la pouffiasse lui choisissait, désignant celle qui lui semblait à point, se faisant dire que c'était pareil, elles partiraient toutes, Madameu. Elle remonta de nouveau ses lunettes, Bertin en tête, demain, 9 h.

— La mousse de foie de volaille que je vous ai achetée la semaine dernière était sure.

La pouffiasse exprima un haut-le-corps en jetant un œil du côté de l'homme dans la cinquantaine, qui se pencha alors un peu plus sur les jambons à travers la vitre du comptoir.

— Comment « sure » ? Nous en vendons tellement, Madameu. Vous n'avez pas idée. Et nous ne gardons jamais plus de deux jours invendues nos charcuteries, Madameu. Demandez voir au père Popps si ses jeunes n'en profitent pas.

— Je ne sais pas, je sais que... Mais c'était franchement sur.

— Ah mais, Madameu, il faut la rapporter alors, la mousse, si jamais vous la goûtez sure. Mais il m'étonnerait beaucoup que ce soit le cas. Vous m'étonnez énormément, Madameu. É-nor-mé-ment.

— Pourtant... Et ce n'est pas la première fois. J'ai....

— Comment « pas la première fois » ! ? Ah ça ! Et à propos de quoi encore ? Qu'est-ce que vous voulez dire ?

— Oh autre chose, je sais plus, de la charcuterie...

— Et vous la jetez, sans rien dire ?

— Mais justement...

— Oui, d'accord, deux mois plus tard. Mais il faut nous le signaler immédiatement, Madameu ! À ce compte-là, personne n'y gagne ! Ah là là là là ! Et monsieur Bertin, là ? qu'est-ce qu'il va penser, monsieur Bertin ? Ça vous est déjà arrivé, à vous, Monsieur Bertin, de vous faire refiler de la charcuterie sure chez nous ?

— Euh... si c'est arrivé ?... Vous savez, j'en achète si peu...

— Tenez, continua la pouffiasse, je vais vous faire une confidence à tous les deux. C'est que, voyez-vous – elle écrasa le comptoir, prise d'une grande intimité ; les seins dégorgèrent, ronds comme ses jambons, mortadelles, salamis ; yeux sagaces, sourcils complices, elle s'assura que personne ne les écoutait –, nous n'employons aucun produit de conservation. AU-CUN. Alors…

Elle se redressa.

— Mais vous m'étonnez, Madameu. Je le dis franchement, vous m'é-ton-nez.

— Peut-être qu'il faudrait alors un tout petit peu de produit de conservation, dit monsieur Bertin. Si madame, ici…

— Ah ça, jamais ! JA-MAIS. Plutôt fermer boutique. Question qualité, voyons ! Vous franchissez ma porte, vous n'êtes plus en Amérique ! Vous voulez d'authentiques produits européens ? Alors ? Là, regardez l'affiche derrière vous. Ça, là-dessus, nous sommes et resterons in-trai-ta-bles, nous ne céderons jamais devant l'industrie. Jamais ! Je vous en donne ma parole.

Justine et monsieur Bertin regardèrent l'affiche :

Nos Produits Sont Réalisés Sur Des Recettes Françaises Et Ancestrales

La pouffiasse se dirigea vers la caisse.

— Alors, ce sera tout pour aujourd'hui ? Et si votre baguette est sure, n'hésitez pas à nous la rapporter, Madameu.

— Vous savez évidemment que votre affiche est très américaine avec ses majuscules, qu'on ne dit pas

« sur des recettes » mais, moindre mal, « d'après des recettes », et que la conjonction des deux adjectifs est maladroite, dit monsieur Bertin.

— Mais bien sûr que nous le savons ! Vous l'avez remarqué, vous, bravo ! Ah ! mes bons clients, on ne leur en passe pas ! Mais que voulez-vous, ça nous est arrivé de l'imprimeur comme ça. L'école, hein ? de nos jours. On attend une autre affiche. Au revoir, Madameu, au plaisir. Et n'hésitez pas.

Justine regarda monsieur Bertin, qui lui sourit.

Elle sortit, caressa le chien attaché au parcomètre. Sur sa lancée, fière de son audace, éblouie par elle-même.

— Merci, dit-elle à l'homme quand il sortit à son tour et qu'il détacha le chien. Vraiment, je vous suis très reconnaissante. Et curieuse : Bertin, c'est votre prénom ou votre nom ?

Un peu plus loin, au coin de Christophe-Colomb, il lui dit qu'il n'allait maintenant chez la grosse pouffiasse que pour la baguette, qu'il lui avait aussi acheté de la charcuterie douteuse et que, de toute façon, elle lui en mettait toujours trop. Il vivait seul, il n'arrivait jamais à tout finir, même avec l'aide de Jacques.

QUE FAIRE DE SA RETRAITE ?

Les files aux caisses peuvent être très longues chez Toscana. C'est une de ces fois. Il n'est pourtant pas si près du souper, mais une dizaine de personnes attendent, dont plusieurs qui sortent manifestement du travail, portable et serviette à l'épaule. Trois autos clignotent en double juste devant, la circulation s'y heurte en klaxonnant, il entre plus de clients dans l'épicerie qu'il n'en sort. Pourtant la caissière demande à une vieille dame si elle a le coupon pour le yogourt, ce qui lui ferait épargner trente-cinq cents. Elle quitte son poste, va chercher l'hebdo du quartier, tourne ostensiblement les pages, montre l'endroit, cherche l'exacto, ne le trouve pas, va à l'autre poste, fouille dans le tiroir, revient, découpe soigneusement le coupon en question. Elle recommande à la vieille dame de profiter du gros sac de polenta en spécial, il y a aussi un coupon dans le journal, c'est dans la rangée, là, derrière la montagne de sardines à la tomate, elle attendra qu'elle revienne…

— Non, plutôt, restez là, ne vous dérangez pas… *Dario, vammi a prendere un sacco di polenta per la Signora Sabourin, non c'è fretta.* Les sardines à la tomate, c'est bon avec la polenta, vous avez déjà essayé ? C'est bon pour l'intelligence, les sardines, ajoute-t-elle plus fort en toisant la file de clients.

C'est bientôt le tour d'un vieux mais solide monsieur à faire enregistrer ses achats. Il les a sortis du panier et les a déposés avec soin les uns à côté des autres sur le tapis roulant ; il y a placé un séparateur en veillant à ce qu'il soit bien perpendiculaire au rebord du comptoir ; il a des mains d'ouvrier ; il semble vérifier s'il a tout ; il rectifie la position du séparateur : trop près de ses victuailles. La troisième dame derrière s'intéresse aux achats du monsieur – elle tasse discrètement le gros panettone du gominé à borsalino devant pour avoir une vue d'ensemble sur le menu : une barquette de figues, une tranche de gorgonzola, des olives noires, un paquet plat en papier kraft, un sac de pistaches, une boîte de thon, une boîte de doigts dc dame givrés, un pied de chicorée. Le monsieur demande à la caissière trois petits pains en vrac dans un panier derrière elle – « Non pas ceux-là, les autres, au sésame, *si* ». Elle lui en met quatre dans un sac brun, lui fait un clin d'œil et regarde le gominé qui regarde sa BMW en double.

— Ça c'est bien pour l'environnement, Monsieur Lespérance, lui dit-elle en remplissant le sac de toile qu'il vient de sortir de la poche de son blouson. Mon petit fils, il serait fier de vous. Il casse des bombes puantes dans les Lowbélaws, vous savez, il dit que c'est pour sauver ma job. Ha !

Le gominé regarde sa montre et de nouveau dehors. Son cellulaire sonne.

*

Les gens viennent de très loin chez Toscana, souvent pour des provisions, on le voit bien aux débordements de chariots. Beaucoup de pâtes. Non pas qu'elles y soient moins chères qu'ailleurs, mais on y trouve toutes les formes sous plusieurs marques importées. Et puis il y a en abondance de ce qui est consacré : café sous vide, huile d'olive, fromages laiteux, verdure, antipasti, charcuterie, *biscotti,* noix ; en étalages pêle-mêle, en montagnes, en pyramides, dans des frigos bourrés. Des clients s'y croient ailleurs, d'autres chez eux. Les employés parlent fort comme dans un film, fidèles à leurs clichés : efficacité blasée, familiarité bourrue. Dans les allées, on se tasse en butant contre une boîte, une avancée de comptoir débordant ; partout un panier, un chariot est là pour bloquer le chemin ; toujours devant soi quelqu'un – gominé de quartier exsangue, banlieusard ambigu, fermier de gratte-ciel – qui hésite, qui se fait conseiller, qui se torture à bien choisir, et qui prend finalement le *prosciutto,* le *reggiano* le plus cher parce qu'il reçoit une vedette et ne veut pas rater l'effet.

Tout pour exaspérer les autochtones.

Parce qu'on y vient aussi tous les jours, chez Toscana, c'est pour certains, et depuis longtemps, bien avant la cuisine nickelée et médiatisée, l'épicerie d'habitude. Il y a le marché Jean-Talon, pas très loin, mais dans l'esprit des gens du quartier, il est mort de sa revitalisation. Dans celui de monsieur Lespérance, en tout cas. Il n'aime pas les cars de touristes qui tournent autour, il n'aime pas les Audi qui sortent du garage souterrain, ni l'aisance des gens qui s'extasient d'une boutique exotique à l'autre – de plus en plus arabes par surcroît, les marchands, monsieur Lespérance ne connaît pas leurs produits, il ne veut surtout rien en savoir depuis le 11-Septembre, il aurait l'impression de financer le terrorisme dont ses petits-enfants seront victimes un jour ou l'autre. Et depuis qu'on a tourné une série télévisée sur eux, les anciens commerçants sont effrontés : ils gonflent les prix – des aubergines, par exemple – et se fichent qu'on achète ou pas, confiants de voir arriver un gominé qui prendra toute la caisse avec l'impression d'avoir fait une affaire.

Monsieur Lespérance n'est pas du genre à regretter le bon vieux temps, mais il est maintenant seul, les souvenirs s'imposent. Comment les éviter ? Il marche dans les rues du quartier, il voit des enseignes, des devantures, des jardins, tel et tel escalier ou balcon ou briquetage qui aurait eu besoin d'être rénové il y a déjà une bonne dizaine d'années. Il croise des gens, de vieilles connaissances sur de vieux visages, les commerçants surtout ; mais le quartier est maintenant une mode, il y a roulement, monsieur Lespérance n'a jamais été liant et passe plutôt inaperçu. Ça ne lui déplaît pas. Il a remarqué la commère curieuse derrière lui à la caisse, chez Toscana. Il la connaît. Elle ne détesterait pas qu'il lui fasse la cour maintenant que Giustina n'est plus là. Il la salue mais ne lui parle pas.

Il ne sait pas quelle attitude il adoptera dans ces cas si jamais son projet aboutit.

À sa retraite, le matin, avec sa femme, il allait au marché, à la poissonnerie, chez Toscana, chez Lorenzo, le boulanger. Au retour, il s'arrêtait à la quincaillerie pour jaser avec Ugo, chez Ricci ou au Caffè Italia boire l'apéro avec les piliers, alors que sa femme rentrait préparer à manger. L'après-midi, il l'accompagnait à la Plaza Saint-Hubert ou regardait à ses côtés les soaps qu'elle aimait tant. Quand il en avait assez vu, il descendait au sous-sol ajouter une décoration à ses cabanes d'hirondelles et repassait en fin de journée au Caffè Italia ou chez Ricci. En fait, il ne se rappelle plus tellement du cours des jours même si le début de sa retraite ne remonte qu'à trois ans. Il a peine à s'imaginer tout ce temps passé à ne pas travailler ; et il s'étonne maintenant de ces jours qui s'écoulent rapidement malgré la longueur des heures sans sa femme. Il pense déménager. Il a en vue un deux et demi dans un bloc dont il connaît le concierge, à trois rues du grand logement où ils ont élevé leurs enfants. Une fille, trois garçons.

*

Pendant longtemps, il n'aurait pas su dire ce qu'était Toscana. Il trouve drôle cette pensée alors qu'il retourne à la maison avec ses achats : ce sera bientôt, il l'espère, l'endroit le plus important de sa vie. Ce pourrait être chez Ricci ou au Caffè Italia, cet endroit, mais il a toujours eu besoin de bouger. Et il faudrait un peu trop parler, il ne comprend pas assez l'italien pour être à l'aise avec des habitués de café. Chez Toscana, c'est trilingue, mélangé, fonctionnel, animé ; on lui sourit, on le salue, quelques-uns – les plus vieux – par son nom. Ça va rarement plus loin mais c'est suffisant. Et les odeurs le réconfortent, il aime les recoins, les échafaudages de produits, il s'amuse à scruter les images des étiquettes importées. Il aime surtout les employés, qui avaient pour Giustina beaucoup de tendresse. Le patron Massimo, le gérant Virgilio, les dames de la charcuterie l'appelaient par son prénom – parfois par son diminutif, Tina ; on allait dans les entrailles lui chercher l'arrivage tout frais quand elle s'informait de quelque chose ; le boucher lui préparait un bien meilleur morceau que ce qu'elle s'apprêtait à prendre sous pellicule dans le comptoir ; Bea, la caissière, lui parlait de tout et de rien ; un commis se précipitait pour emballer ses achats. Monsieur Lespérance avait découvert tout ce monde à sa retraite, la société de Giustina.

Et puis un début d'après-midi, à peine deux ans après la dernière brique, au cours d'une promenade de digestion, alors qu'ils s'étaient arrêtés devant un chantier pour regarder la grue travailler, Tina s'écroula raide morte à ses côtés. Trois heures plus tard, il était chez eux – chez lui – assis dans le salon. Veuf. Il téléphona à ses enfants, à ses belles-sœurs, aux voisins et amis ; le lendemain, il n'aurait pas pu. Il sombra dans une espèce d'hébétude pour les six mois suivants, à tel point que sa fille était préparée pour l'accueillir.

Elle l'avait invité à manger comme souvent, mais ce jour-là une surprise l'attendait. Au dessert, elle avait demandé aux enfants s'il leur ferait plaisir que papi vînt demeurer avec eux. Oh oui ! Oh oui ! Papi ! Papi ! Papi ! Le gendre s'y était mis : ils pourraient regarder le hockey ensemble. C'est là qu'on lui avait appris qu'il quitterait le logement maintenant trop grand, qu'il serait bien en banlieue, dans la pièce du sous-sol à côté de la salle de jeu, toilette et entrée privée, de sorte qu'il pourrait vaquer à ses affaires – le plan était même de lui installer une douche et une cuisinette d'appoint – tout en étant avec eux. Et toute la famille avait parlé à sa place, ce soir-là, de ce que serait désormais sa vie, dans cette rue de bungalows, à trois cent mètres du boulevard Taschereau et du Réno-Dépôt. Il pourrait même – pourquoi pas – prendre de petits travaux de maçonnerie dans le voisinage, rien de trop forçant ni prenant. Et continuer à faire ses cabanes d'hirondelles, bien sûr, les proposer dans les ventes de garage.

Dans l'auto, plus tard, son gendre et lui n'en avaient pas reparlé.

Le lendemain, il avait téléphoné à sa fille pour la remercier, mais ce ne serait pas possible. Il vendrait plutôt la maison, déménagerait dans plus petit, Giustina et lui y songeaient déjà. Et il avait un autre projet qui l'obligerait à rester dans le quartier.

— Un projet ! ? Conte-moi ça, cachottier ! Pas un remariage, toujours ?

— En temps et lieux, en temps et lieux. Ça a l'air de rien, ça travaille entre les deux yeux.

La fille n'avait pas insisté, conscience en paix. Ses oncles et tantes, sa propre mère s'étaient tous occupés de leurs vieux au moment opportun ; chez les Italiens, c'était ainsi, même chez les jeunes. Son père était pure laine, mais il avait vécu quarante-deux ans en exil chez lui, rue Casgrain, auprès d'une Italienne qui lui avait appris à manger et à boire, avec une belle-famille exubérante, aux fêtes et anniversaires envahissants, aux mariages bruyants, aux week-ends d'automne marqués par les joyeuses corvées alimentaires ; il avait été maçon chez un des oncles, dont les contrats ne débordaient pas de Saint-Léonard, du Nouveau-Rosemont, de Ville d'Anjou, de la Petite Italie ; il ne connaissait pas autre chose que les lunchs à polenta, oignons crus, gorgonzola, olives, figues, tomates, panettone. Il n'avait cependant jamais pu vraiment se passionner pour le football de chez Ricci, mais ce n'était pas très grave puisque les cousins, copains de travail, beaux-frères l'aimaient assez pour lui parler hockey et l'accompagner au baseball.

*

Monsieur Lespérance n'avait pas mis son plus bel habit, mais des vêtements confortables qui lui permettraient de commencer sur le champ s'il le fallait. Il s'était surtout rasé de près et avait soigneusement curé ses ongles. La propreté, c'est ce qui devait importer à Massimo, s'était-il dit. Au moment de partir, il eut l'idée d'ajouter unc coquetterie à sa présentation, la casquette de velours bleu marine, cadeau de ses petits-enfants pour son soixante-huitième.

Le mercredi matin était période de grande effervescence chez Toscana. Les employés garnissaient le magasin pour la fin de la semaine. L'avant-veille, monsieur Lespérance avait assisté à une scène décisive : il était à l'avant du magasin, dès l'ouverture, seul client autour, quand Virgilio était venu dicter à Bea ce qu'elle devait écrire en français sans faute avec un feutre rouge sur un simple rabat de carton qui avait été aussitôt scotché dans la vitre de la porte de sortie, écriture vers l'intérieur – c'est ce dernier point qui avait paru décisif à monsieur Lespérance :

Nous embauchons
Commis fruits et légumes
Préposée charcuterie
Commis général
Expérience souhaitable

Il avait bien ruminé la chose depuis : Massimo, de toute évidence, cherchait des employés parmi ses clients. Monsieur Lespérance aimait bien la démarche, toute italienne : que ça reste dans la famille. Et ce n'était certes pas les gominés à portable – ni leurs enfants – qui postuleraient, l'offre s'adressait aux gens du quartier. Il n'avait pas d'expérience en épicerie, mais placer des conserves sur des tablettes, les monter en pyramides aux endroits stratégiques, optimiser l'espace, s'arranger pour que tout tienne de niveau, c'était comme pour les briques et le reste, ça partait de la base. Il était encore solide, il pourrait soulever des boîtes, suffisait de les poser sur un chariot et de les apporter au bon endroit. Il savait d'ailleurs parfaitement où se trouvait quoi dans le magasin, quels étaient les passages hasardeux aux îlots aventurés, les culs-de-sac, les coins morts, pas assez éclairés ou trop, les lieux engorgés en période d'affluence. Emballer aussi, il pourrait : les trucs lourds au fond ou sur les côtés – notamment pour les fruits et légumes en petites quantités ou les pâtes allongées –, les aliments fragiles au-dessus, les sacs pas trop paquetés ; ou alors, regroupés : les durs avec les durs, les mous avec les mous, le froid avec le froid. Il avait vu faire. Même que ces derniers temps, il diversifiait ses achats dans une seule visite pour étudier l'emballage ; plus : il choisissait exprès une période de grand achalandage pour se mettre en bout de queue et voir traiter une gamme élargie de volumes et denrées. Certains aliments, par exemple, demandaient une doublure : olives et antipasti en vrac, viande saignante sous styromousse ; et surtout lorsque des clients conscientisés comme lui utilisaient un sac de toile – Tina avait toujours fait ça, elle apportait même sa vieille boîte de bananes lorsqu'elle prévoyait faire suivre sa commande par un livreur.

Il marchait de plus en plus confiant, rien à perdre tout à gagner, vers Toscana, allant jusqu'à saluer en pleine rue ses futures obligées. Le point faible de sa candidature était sa connaissance des fruits et légumes ; de leur fraîcheur, particulièrement. Il n'y voyait plus très bien, et pour ce qui serait de détecter promptement la pomme meurtrie, le rapini malingre, la feuille fanée, l'aubergine cabossée, récupérer le malade lorsqu'il y avait moyen ou l'éliminer carrément, traiter l'ensemble, le rendre vivant, attrayant, faire ressortir l'organique, assortir les teintes, il n'était pas certain d'y parvenir sans un certain apprentissage.

Son seul point faible.

Il entra dans l'épicerie au moment où Massimo engueulait doucement en italien un jeune commis au sujet des petits pains dans les paniers aux caisses. Il n'y avait pas beaucoup de clients, l'affiche était toujours là. Il s'intéressa aux pâtes de choix tout près de l'entrée, l'oreille aux réprimandes, la tête à l'amorce : il n'avait jamais passé d'entrevue ni sollicité d'emploi. Il décida d'aborder le patron directement, d'homme simple à homme simple, pour ainsi dire.

*

— Vous voulez travailler ici, c'est ça?

— Si c'est possible, oui.

— Giustina elle m'a jamais dit que son mari il travaillait dans une épicerie... Elle faisait de l'espionnage ici?

— J'étais maçon, pour bien dire.

— Vous n'avez pas d'expérience, c'est ça? Je veux dire, avec les légumes, les *biscotti,* l'huile d'olive, *la pasta*?...

— J'en mange.

— Vous vous ennuyez, c'est ça? Faire les mots croisés toute la journée, c'est long, c'est ça?

— J'ai pas grand-chose à faire.

— Ici, il y a beaucoup à faire, c'est dur... *ma* vous connaissez l'endroit. Vous en avez parlé à vos enfants?

— Vous me demandez si j'ai leur permission?

— Non, c'est pas ça, *ma* s'il arrive quelque chose...

— Qu'est-ce qui peut m'arriver? J'ai travaillé en hauteur toute ma vie.

— *Ma* justement, c'est ça, ici, c'est par terre, vous êtes pas habitué, je sais pas, vous pourriez glisser sur une aubergine, les légumes, c'est dangereux quand c'est écrapouti par terre. Regardez le *terrazzo,* ça glisse. C'est dur sur les jambes en plus, c'est ça.

— Ça glisse pour les vieux clients aussi.

— Oui, *ma* c'est pas pareil, parce que, le vieux client – oh *scusi,* c'est pas ça, c'est pas ce que je veux dire, vous comprenez?... *ma,* le client, le vieux, le jeune, la *mama,* n'importe qui, il prend le légume dans le comptoir, il ne marche pas, il ne bouge pas avec les caisses sur les bras sans rien voir où il va, vous comprenez ? C'est ça. Pour la job, il faut aller dans le *stockroom,* prendre les boîtes, les légumes, les fruits, ils tombent par terre. Après, il faut ouvrir les boîtes, manipuler les couteaux, tout ça. C'est ça, c'est pas une question de vieillesse, c'est une question d'habitude. C'est tout.

— Si c'est pour le salaire, je demande pas gros, je prendrai ce que vous donnez. Même moins, ça me dérange pas.

— On paye comme il faut, craignez pas. Vous comprenez l'italien ? vous le lisez ? vous l'écrivez un peu ?

— Non… Pas pour la peine… Je comprends un peu… En fait…

— Parce que, on a beaucoup des produits d'importation. Il faut comprendre les paroles, oui, c'est mieux, *ma* tout le monde, il parle le français… Je veux dire, c'est surtout comprendre ça qui est marqué sur les boîtes quand ça arrive directement d'Italie. C'est ça. Et puis, il faut vérifier les commandes, tout ça. On demande pas des écrivains…

— En fait, je…

— Il faut aussi de temps en temps écrire les pancartes. Vous voyez ? au-dessus des produits ? Les promotions. Les belles lettres, avec le nom du produit, les prix… C'est ça. *Ma* ça, à la limite, Bea, elle peut faire ça, elle est bonne là-dedans, c'est elle qui fait les plus belles pancartes. Bon écoutez, peut-être pas pour les légumes, *ma* pour *la pasta,* les *biscotti,* emballer, vérifier les commandes, les petites choses. On va voir, hein ? Je vous fais remplir une feuille, c'est juste des questions générales pour le gouvernement, on fait ça pour tout le monde.

— C'est que, j'ai pas mes lunettes…

— *Ma si,* vous les avez, là, sur votre nez… Il faut aussi une bonne mémoire pour travailler ici. Ha ha !

— C'est pas les bonnes lunettes, j'ai pas apporté les autres… Pour lire et tout ça. Je savais pas qu'il faudrait écrire, je reviendrai.

— C'est ça, on est là toute la journée, demain aussi, Monsieur Lespérance. On va vous trouver une petite place, hein ?

*

Monsieur Lespérance dut changer d'épicerie pour faire ses courses. Il y en avait d'autres autour du marché, moins sympathiques, qui offraient des produits semblables. Mais ça devenait fatiguant, il croiserait un jour ou l'autre dans la rue quelqu'un de Toscana, il faudrait alors trouver une explication. À moyen terme, il changea de quartier, il accepta l'offre de sa fille en banlieue.

CADEAU D'ANNIVERSAIRE

Bertin Lespérance a reçu un beau cadeau d'une inconnue dernièrement, le jour pile de ses cinquante-quatre ans. Enfin, pas tout à fait inconnue, l'inconnue, il dit se rallonger pour acheter ses végétaux où elle travaille. Mais il a tout son temps, seul son chien Jacques l'attend à la maison. Il l'amène parfois pour les courses de fin d'après-midi, mais plutôt pas : Jacques est fougueux, il n'aime pas la laisse, Bertin s'énerve, chargé de sacs en pleine avenue du Mont-Royal, avec l'autre qui tire, les gominés qui se pressent, le gratin de banlieue qui s'extasie, qui reluque les vedettes tout bonnement assises aux fenêtres des restos, qui s'agglutine autour de l'enregistrement de drôleries télévisuelles en travers du trottoir. Ce n'est pas agréable. Il préfère revenir à la maison déposer sa récolte et aller ensuite mains libres avec Jacques voir les amis au Parc. Il n'a pas d'auto, n'en veut pas. Il se demande pourquoi les graffiteurs ne s'attaquent pas aux véhicules utilitaires.

— On se fait couillonner rare, question environnement. Construire des autoroutes pour amener plus de chars des banlieues au centre-ville, c'est indécent venant des mêmes gouvernements qui te claironnent des accords pour réduire les gaz à Fetzer, en chargeant le citoyen de le faire. Au moins, les États-Unis ne signent pas. Mais je suis gogo, j'écoute Pierre Maisonneuve, j'applaudis Stephen Guilbeault, je fonds devant Laure Waridel et je me suis acheté un grand sac en coton pour mes courses. Sans rien dessus. À moins d'épater avec un logo australien, on fait la publicité permanente de la chaîne qui te refile des raisins pourris au fond du sac.

Bertin est en rogne perpétuelle, mais il est paisible. Il comprend et encourage le petit commerçant, même s'il dit que le petit commerçant est un éléphant manqué. Car le Nord-Américain n'accepte pas d'être modeste toute sa vie, comme Farkas Kossuth, qui est mort l'an passé. Je ne connaissais pas Farkas ? L'épicerie Farkas, rue Saint-Laurent au coin de Napoléon ?

— Tu rentrais là-dedans en 2003, mon vieux, et tu te sentais comme ta grand-mère en 1952. Le vieux Farkas t'attendait avec sa femme Milka, les deux en chienne blanche, lui tout petit, noueux, avec sa casquette de velours bleu marine, elle en chignon à bobépines, baquèse souriante avec un nez, que dis-je, un cap, une péninsule à nervures juives comme il ne s'en fait plus, postés à des endroits stratégiques du magasin parce qu'ils avaient tellement peur de se faire piquer la moindre branche de persil. Les planchers étaient en bois gémissant, les végétaux étaient empilés dans des caisses en bois inclinées sur des étagères en bois, il y avait des ampoules nues accrochées au plafond en métal repoussé, qu'ils n'allumaient qu'en cas d'absolue nécessité. Ça sentait les agrumes, le fenouil, la terre, la pisse de souris probablement aussi. Ils n'offraient que les végétaux de saison, pas question de fraises en décembre, en petites quantités, ils n'avaient pas honte d'une aubergine cabossée, du moment qu'elle était fraîche. Et t'avais intérêt à traîner ton cabas, Farkas ne te fournissait pas de sac en plastique, il était contre depuis trente ans. Il allait au marché tous les matins dans sa familiale Ford Granada 79. À six heures et demie du soir, il n'y avait plus en magasin que leur stock permanent de patates, carottes, pommes. Ce qui restait du jour, ils le donnaient aux pauvres qui se pointaient avant le souper. En 2003, mon vieux, rue Saint-Laurent-du-Plateau. Mais c'était tellement cool d'aller chez Farkas. Avec la caisse enregistreuse à crinque, la balance à poids, les sacs bruns fripés qu'ils ne sortaient de sous le comptoir que pour les poires, l'été. Farkas est mort de chagrin l'an dernier, six mois après sa femme, morte en Floride où elle calmait son arthrite chez une vague cousine. Comme ils n'avaient pas d'employés, il n'avait pu l'accompagner. Elle ne devait rester que quelques semaines. Elle lui parlait des oranges dans les lettres qu'elle lui écrivait, une par jour comme dans leur jeunesse, avant les Soviétiques, alors qu'elle était cachée dans un four à Békéscsaba, et qu'il était à Budapest.

Bertin commande d'autres bières et m'explique que les Juifs de Budapest étaient en relative sécurité jusqu'à l'occupation de la Hongrie, en mars 1944, parce qu'ils formaient la quasi seule bourgeoisie du pays et qu'ils occupaient la moitié des professions intellectuelles et libérales. Le père de Farkas était clerc de notaire ; celui de Milka, cordonnier à Pest, l'ancienne ville, de l'autre côté du Danube. Il était harcelé, trop actif dans l'hébergement de réfugiés, et il avait envoyé sa fille chez des parents, à trente kilomètres de la frontière roumaine.

— Farkas avait conservé toutes les lettres, deux cent dix-huit, qui lui étaient parvenues en dix mois, presque une par jour, au nez des nazis, en différents états, de différents coursiers. Quand l'Armée rouge a pris Budapest en février 1945, Farkas est allé rejoindre Milka, et ils se sont enfuis à travers la Roumanie et la Bulgarie jusqu'en Turquie. En mars 1946, ils ont pris un bateau pour Alexandrie, puis ils ont traversé la Méditerranée jusqu'à Gibraltar pour remonter l'Atlantique et aboutir à Anvers – va savoir pourquoi je te raconte ça.

— Pourquoi, en effet ? Pourquoi le monde est sans amour ?

— J'ai révisé le scénario d'un projet de docufiction sur eux. La seule chose dont ils se sont encombrés tout au long de leur voyage, c'est la boîte de lettres de Milka à Farkas. Éditer ça, mon vieux, c'est un best-seller assuré : six cents exemplaires. Six cent vingt-quatre après le passage à *M'as-tu lu ?* Ils ont pris un autre bateau à l'été 1946 et ils ont échoué sur la Main, au-dessus d'un grossiste en légumes. Farkas travaillait pour lui et il s'est fait commerçant en 1952, à la mort de son patron. Milka n'a jamais eu d'enfant. Ils ont fini par acheter la maison mais, même à la fin, ils demandaient un loyer tellement ridicule pour le logement du troisième transformé en entrepôt d'antiquités. Ils demeuraient au deuxième, au milieu des meubles de leur installation en 1946. Ils étaient au magasin de huit à huit, puis ils allaient se coucher. Ils n'avaient pas de téléviseur, ils écoutaient sur ondes courtes des nouvelles en hongrois.

Bertin se tait. Il regarde dehors par la fenêtre du Else's. Il a rencontré une femme il y a six mois, Justine, une bibliothécaire. Il vient d'apprendre qu'elle a un cancer. Puis il me dit que le point fort du scénario, d'après le producteur, serait Milka, dans le four à Békéscsaba, qui confectionne ses feuilles de papier en raboutant des morceaux avec de la colle de farine.

— Voire si on gaspillait de la farine pour en faire de la colle, en Hongrie, en 1944. Mais ça émeut les organismes subventionnaires, paraît. Bullshit de cinéma dégoulinant, je les ai vues, ces lettres : du beau papier à entête d'une briqueterie du coin, va savoir qui l'apportait à Milka. Rien ne vaut une bonne guerre pour les beaux souvenirs. Qu'est-ce qui va rester de *Star Démocratie* ? Qui va gagner le Hummer à *Branlette Académie* ?

On a peut-être un peu trop bu, je ne vois pas très bien où il veut en venir sinon à toutes ces années où il a attendu quelqu'un qui meurt d'un cancer. Il me dit que Farkas était son idole, et qu'après avoir révisé le scénario, il s'est acheté un beau grand sac indien en coton pour ses courses. Mais il n'a pas fait ce geste pour plaire à la petite Waridel, aux médiastars écologiques, ou en réaction aux propos alarmants de Stéphane Dion et autres politiciens à créneaux, préoccupés par leur réélection : plutôt en hommage aux caisses en bois, aux aubergines cabossées, aux ampoules nues et aux végétaux de saison de Farkas et Milka…

— Et le cadeau de ton inconnue ?

— … Mais moi, j'allais chez Farkas et Milka depuis très longtemps. Va savoir pourquoi il m'ont pris pour un voleur dès le début, c'en était rendu une blague entre moi et eux. Si bien qu'une fois, je leur ai dit ce que je faisais comme métier et je leur ai parlé d'un de leur compatriotes, Dezsö Kosztolányi, écrivain de l'absurde, merveilleux nouvelliste, dont le protagoniste porte toujours le même nom, Karél Esti. Une de ses nouvelles s'appelle «Le traducteur cleptomane». C'est l'histoire d'un traducteur, tellement cleptomane qu'il ne peut s'empêcher de voler le texte de départ si bien qu'il manque des tas de trucs à la langue d'arrivée : un million et demi de livres sterling, des bagues, colliers, perles, montres, des propriétés, châteaux, des bricoles, mouchoirs, cure-dents, clochettes. Ça avait bien faire rire Farkas et Milka qui m'appelaient depuis leur «réviseur cleptomane». Je ne leur ai jamais rien volé, c'est quand mêmc incroyable ! Je pense qu'ils ne saisissaient pas tout à fait la gravité du mot cleptomane. Mais je suis pas très fier de moi : en tolérant de me faire appeler voleur par eux, je faisais preuve d'une condescendance épouvantable, à la limite du petit-négrisme. La Hongrie a donné Bartók, la goulash, Liszt, Vasarely, le foie gras, le tokay, le cube Rubik, le paprika, Kertész. T'imagines si un des tiboss du Métro Chevrefils se mettait à me suivre dans son magasin et me traitait de cleptomane ? Pourquoi je l'acceptais de Farkas et Milka Kossuth ? À cause de l'Holocauste, du four où s'écrivaient les lettres, des étagères en bois, de la Ford Granada, de la casquette ? À l'origine du pittoresque, il y a la guerre.

— C'est bon.

— C'est Sartre.

— C'est bon pareil. Le cadeau de ton inconnue ?

— Depuis la mort de Farkas, je vais à gauche et à droite pour mes végétaux, surtout dans une fruiterie située à la limite du raisonnable à pied. Il y a là, en fin d'après-midi les mardi, jeudi et samedi, une jeune caissière mignonne, mais mignonne, plus mignonne que ça, elle écrit des lettres à son fiancé, cachée au fond d'un four au nez des nazis, dans un film américain, musique de Neil Diamond. Et puis, non : Hollywood ne la prendrait pas, elle est trop simple dans sa beauté. Le jour de mes cinquante-quatre ans, donc, j'y vais, j'arrive à la caisse, elle me fait le plus beau des sourires, j'aime croire qu'elle apprécie ce que j'achète, qu'elle trouve que j'ai plein d'allure à manger plein de si bons légumes, *what you eat you are,* quelque chose du genre, tu vois ?... Bref, je me fais croire que je lui plais, et, au moment d'emballer, elle me demande si je veux un sac. Je lui réponds que non, que j'ai ce qu'il faut pour la suite de son monde, racoleur, téteux, mets-en, tout ce que tu voudras en autant que t'aies le temps d'en écluser une autre – il cherche la serveuse des yeux –, et je sors TA-DAMMMM ! mon sac *garam masala* en coton pas-de-publicité-dessus. Elle n'en peut plus, la petite, tu sais comme belles elles sont quand elles croient à l'avenir, elle est super contente pour la santé de la Terre, elle met, toute guillerette, les végétaux dans le sac, je l'aide, elle me demande tout à coup... Bon, je suis lucide moi aussi, faut pas croire, elle au printemps, lui en hiver, et je ne rêve pas sauf à John Wayne qui joue merveilleusement du bassin au pôle Nord... C'est comme l'autre jour, dans le métro, comprends-tu, il y avait une jeune femme qui jouait du violon dans un coin de quai achalandé de Berri-Uqam. Elle y mettait tout son cœur, elle était habillée très simplement, t-shirt, jeans, une grosse tresse miel jusqu'au milieu du dos, une autre beauté simple, avec plein de mononcles dégoulinants agglutinés autour, peut-être de vrais amateurs de Bach, j'en doute. Il y avait passablement d'argent dans l'étui aux pieds de la fille, de gros billets. De temps à autre, elle souriait à la musique, les schnouks croyaient que c'était à eux, ils ajoutaient une piasse. Puis arrive un jeune homme en sac à dos, un étui à violon au bout du bras, qui se faufile entre les bonhommes qui bavent aux premières loges. Il se met derrière tout le monde, dépose son sac, en sort une paire de lunettes et regarde tranquillement jouer la fille…

— ?

— … c'était beau, mon vieux. La connivence. Je jurerais que la fille jouait pour lui. C'est tout. Le métro est arrivé.

— Ta petite caissière ?

— Oui, bon, elle me demande – mais, une autre fois, aussi dans le métro…

— Non, non, qu'est-ce qu'elle te demande ?

— S'il y avait bien un circonflexe sur le e de chêne. Elle m'explique qu'elle doit faire une affiche pour un arrivage de feuilles de chêne et qu'elle hésite parce que son patron s'appelle Beauchesne avec s. Alors là, derrière moi, il y a un jeune frais-chié, style irrésistible de vingt-deux ans, une espèce de Ricardo, qui se culbuterait bien Francesca drette-là sur le comptoir…

— Elle s'appelle Francesca ?

— Probablement. Il lui prendrait bien une mordée de bahut, y'a qu'à voir son sourire plein de dents blanchies, il se met à lui expliquer le pourquoi du comment étymologique du circonflexe qui a remplacé le s dans certains cas et pas dans d'autres, et jamais dans les noms de famille. Et là, elle te lui lance une mimique de poisson mort, convaincue qu'il n'a pas, *lui,* de sac indien en coton pour ses provisions et qu'il aura besoin, *lui,* de trois sacs en plastique… Bref, elle ne l'écoute même pas, revient vers moi, *vers moi* malgré ce Ricardo de six pieds six, ce premier de classe, qui parle maintenant seul, et elle s'excuse presque, *à moi,* de ne pas savoir si le e de chêne prend un circonflexe, du moins d'être hésitante, mais c'est si mélangeant, on voit tellement de mots écrits n'importe comment, et il y a le web en plus où n'importe qui se permet n'importe quelle orthographe. Je lui confirme qu'il y a bien un circonflexe au e de chêne, on rit ensemble de la complexité des choses de la langue, et elle semble toute heureuse de s'être adressée à moi, elle me souhaite une très belle fin de journée, avec ses yeux à se noyer dedans. Si bien que je ne peux plus retourner acheter mes légumes là. Tu comprends ?

LE SENS DES AFFAIRES

La veille, Élisabeth avait téléphoné à Francesca au sujet du nouveau client. Un spécial.

— J'ai pensé à toi, tu vas comprendre. Mais tu peux refuser. D'abord, avant que tu sautes, j'ai parlé à Béatrice : il y aura un bonus, le monsieur débourse en s'il vous plaît.

— Tu me fais peur. C'est pas un spécial ramonage toujours ?

— J'ai appelé son CLSC, ils le connaissent un peu mais pas pour la peine. Il en a de collé, il va au privé. Rien qu'à voir ses demandes... Des kits habillés, du genre tailleur, chemisier, jupe, talons hauts, t'en as combien au juste ?

— Ah non, pas un fétichiste ? C'est de l'entretien que je fais, pas de l'escorte. Le portrait, c'est quoi ? C'est qui ?

Bertin Lespérance. Soixante-dix-sept ans. Ancien homme d'affaires, propriétaire, administrateur, dans ces eaux-là. Jamais marié, pas d'enfant, personne de vraiment proche, il vivait seul, sur ses jambes. « Pas tout à fait légume », avait-il dit à Élisabeth. Il lui fallait de l'aide domestique, peut-être de l'accompagnement mais il n'était pas sorteux. Des soins, éventuellement, les résultats d'analyse le diraient, mais il en doutait. Assez bien suivi par un médecin, qui « ne fait pas beaucoup de foin avec moi » – on les connaît, ces vieux paons qui claquent en deux secondes. Pour l'instant, Géro-Soins se contenterait de sa parole, il ne s'agissait que de supplémentaire. Il avait déjà une femme de ménage.

— Supplémentaire ?

— Oui, pour ce que sa femme de ménage bouge trop rarement à son goût. Et puis, elle est Chilienne, monoparentale, pas riche, riche…

— « Pas riche, riche », franchement. C'est quoi, le rapport ?

— Il a dit ça, « pas riche riche ».

— Mais lui l'est, apparemment, « riche riche », il peut la payer correct, non ? C'est quoi, le supplémentaire ? Qu'est-ce qu'il veut voir bouger ?

— Les fonds de garde-robes, j'imagine, les tablettes, les vitres, les dessous de meubles. Tu verras.

— Un appartement ? Un logement ? Une maison ?

— Un condo. Un cinq-pièces près de l'Oratoire. Quand je te parlais d'accompagnement, c'est peut-être chez le Frère André. Dans ce cas-là, ça justifierait un peu…

— Que ?…

— Ben, le tailleur, les talons hauts, le maquillage.

— J'apporte d'autres vêtements, c'est ça ? Au cas où il voudrait sortir ?

— Non. En fait, tu travailles en tailleur et talons hauts. Mais on te verse un bonus. Pour l'usure et l'inconfort. Ça va te dédommager, je te garantis.

— Comment tu dis ? Répète donc ça.

— J'ai essayé de te négocier une chienne, une jaquette, quelque chose à mettre par-dessus. J'ai senti qu'il y avait une ouverture pour un tablier, mais il veut te voir avant. Pour les talons hauts, ça va être difficile. Mais à te regarder aller sur tes échasses au party de Noël, je me suis dit que t'aimerais mieux que je travaille sur le tablier. Écoute, je sais que, mais t'es chic, t'es belle, on dirait une top-modèle, t'es la seule de l'équipe, vraiment, que je peux mettre là-dessus. Et puis, pense au bonus… Béatrice parle de cent piasses la visite. Tes tailleurs, ça vient pas juste de chez Holt Renfrew, jamais je croirai. Tu mettras ceux de l'Aubainerie – c'est une blague. Avec quelque chose pardessus, ça limitera les dégâts. Au forçail, tu loues un kit complet, avec talons hauts. Ça, les souliers – il a pas précisé mais je suppose qu'il parlait pas de talons aiguilles –, j'ai eu comme l'impression que c'était pas négociable. Tu pourras essayer. Avec tes fossettes, t'es capable de tout.

— Il a dit pourquoi il voulait une aide domestique en tailleur et talons hauts ?

— Penses-tu, j'ai demandé. Il m'a dit qu'il aimait les gens bien mis, qui se respectaient. Je lui ai dit qu'il y a un uniforme classique pour les gens de ménage, tu sais, comme on en voit dans les vieux films, avec une coiffe, un nœud, une collerette. Il m'a dit qu'il ne m'appelait pas pour les services d'une bonne, que c'était facile à trouver, qu'il en avait déjà une et que ces uniformes-là étaient laids et désavantageaient la femme. Il m'a laissé entendre que si c'était trop compliqué, il y avait d'autres compagnies dans les Pages jaunes. Mais il avait cru, vu la grosseur de notre annonce…

Il trouve que les gens ont perdu le sens du client, que ce n'est pas en questionnant les exigences qu'on fait des affaires, qu'il faut ajuster l'offre aux besoins, pas le contraire. Et puis, t'es pas née d'hier, si Béatrice te donne cent piasses de plus la visite, tu devines combien il est prêt à payer. On fait comme ça : tu y vas une fois, on se reparle. Il veut peut-être juste quelqu'un pour parler musique, petit doigt en l'air, jouer à la belle société, souper en tête-à-tête aux chandelles. On fait aussi du support, c'est dans notre annonce, ça lui prend peut-être un spencer en alpaga dans son salon pour se remonter le moral. On le sait : tout existe. Et puis, un vieux chaud de la pipe aurait appelé une masseuse, me semble, non ? T'es pas curieuse ?

Curieuse n'était pas vraiment le mot. Si Francesca avait pu faire autre chose pour gagner sa vie, complètement autre chose, par exemple maquilleuse dans unc allée de grand magasin, vendeuse chez Ogilvy, elle aurait laissé tomber Géro-Soins. Elle était infirmière gériatrique de profession, en surmenage définitif depuis qu'un jour de triple décès dans son unité, un alzheimer lui avait en supplément balancé sa soupe à la tête. Elle avait tourné les talons, dégouliné sans politesses jusqu'au vestiaire, s'y était changée en rapaillant ses affaires et n'avait plus jamais remis les pieds au centre d'hébergement. Un mois plus tard, elle avait reçu un appel de Géro-Soins, une compagnie privée de services infirmiers, domestiques et personnels pour personnes âgées. Comme il n'était absolument plus question pour elle d'appliquer quel traitement que ce fût à quel vieux riche que ce fût pour presque quel salaire que ce fût, elle avait raccroché. On l'avait rappelée pour lui proposer un poste d'auxiliaire domestique. Pas de catatonie, d'incontinence, de parkinson, de trouble cognitif, de démence, Francesca avait bien répété qu'elle ne voulait plus rien savoir des vieux morbides. Et le moins possible d'hygiène personnelle. Béatrice, la patronne, n'avait pas tous les jours l'occasion d'embaucher une telle auxiliaire et elle avait bonifié l'offre. Elle escomptait qu'une fois intégrée, bien au fait de la clientèle, l'infirmière reviendrait en Francesca, qu'elle se lasserait de l'aide aux repas, de l'entretien, de la lessive, des courses, de l'accompagnement.

Deux ans plus tard, Francesca n'avait aucune nostalgie des cathéters, perfusions, infiltrations et autres intrusions. Elle espérait un signe d'une des compagnies de cosmétiques où elle avait dernièrement sollicité une entrevue et s'accommodait toujours des soins domestiques chez Géro-Soins. Le torchage modéré dans la tiédeur de foyers feutrés, auprès de vieillards cossus, propres et discrets, elle appréciait. Et était appréciée. Car le mot courait chez les clients de Westmount et du West Island : Francesca était une perle, d'une gentillesse inébranlable, d'une efficacité remarquable, douée, étonnamment instruite, allumée et modeste, d'une beauté et d'une élégance toniques. Qu'est-ce qu'elle faisait là, à nettoyer le four ou étendre le linge ? certains clients se risquaient à le lui demander. Elle souriait, trouvait une boutade, posait une question en retour, ce qui ajoutait à son charme, confirmait sa sollicitude. Il lui arrivait d'offrir un extra si le vieux lui plaisait : soins des pieds, des cheveux, aide à l'habillage, à la cuisine pour des événements spéciaux. Elle connaissait très bien les médicaments qu'elle déplaçait sur la table de chevet, ou l'appareillage à tubes qui déparait le séjour, mais n'en laissait rien savoir. Ce n'était pas son domaine, s'excusait-elle gentiment si une intervention était souhaitable, l'infirmière viendrait plus tard. Elle palliait l'inévitable et s'éclipsait.

*

Francesca mit donc un tailleur, pas son plus chéri, pas son plus oublié, un peu vieillot mais tout à fait acceptable – veste bord à bord mi-longue en tweed de soie chiné beurre et noisette, blouse sans col en soie beige, jupe droite en lin crème –, des trotteurs – en cuir chamois parce que les marron étaient éraflés et qu'elle n'avait aucune envie d'y voir –, et se présenta chez monsieur Lespérance le lendemain après-midi. C'était le jeune avril à son meilleur, gros soleil, douceur humide. La rue, qui donnait en hauteur sur le parc de l'Oratoire, était d'autant plus tranquille que la rumeur était dense, rue Queen-Mary, en contrebas. Les parterres, pas vraiment revenus de l'hiver, étaient jonchés de papiers, plastique, végétaux dégelés. On entendait les oiseaux, le crépitement des choses réveillées, le crissement des pas sur les trottoirs encore ensablés. La maison, presque plus large que haute, avait deux étages sur un demi-sous-sol, l'adresse était celle du rez-de-chaussée. Francesca enleva ses verres fumés lorsque la porte ouvrit. D'un geste seigneurial, Bertin Lespérance se présenta et l'invita dans sa, comme on dit, modeste demeure.

Il ne faisait pas son âge mais pas non plus la soixantaine de ses prétentions. Il avait été bel homme, sûrement. Les yeux bleus étaient clairs, sans lunettes. Il n'était pas chauve, les cheveux poivre et sel ondulaient encore un peu au-dessus des oreilles. La moustache en bataille manquait de poils. Les peaux, tirées dans le visage, pendaient autour du cou. Son sourire était une grimace, comme trop large pour ce que sa mâchoire lui permettait, et une succion se faisait entendre avec certaines syllabes ; peut-être le dentier qui décollait du palais, peut-être la langue clapotant dans son jus. Il précéda Francesca à grandes enjambées, périlleuses mais châtelaines, en se tournant d'un côté et de l'autre, lui présentant ceci cela, s'attardant à la chambre d'amis, précisant qu'il n'avait que peu, comme on dit, d'amis et pas du genre à rester à coucher, et ils s'installèrent au salon où murmurait une symphonie. Une bouteille de porto et deux verres étaient posés sur un guéridon. Les meubles étaient simples, modernes, d'une insistance luxueuse. Une bibliothèque, large comme un pan de mur, montrait la culture : des séries de livres reliés, la chaîne audio, des revues et journaux empilés, des CD ; des tablettes entières de bibelots, dont quantité de boules de neige – Cape Cod sous plastique ? Francesca ne pouvait dire à cette distance, elle aurait bien l'occasion de vérifier.

— Je suppute vos interrogations. Bravo ! ce sont les bonnes. Je n'ai jamais pu passer à côté d'une affaire et j'ai récemment vendu ma collection de boules en verre. À mon grand regret finalement, car je ne m'entoure que d'authentique. Je vois par exemple que vos vêtements sont de qualité. C'est bien.

Il portait une veste d'intérieur en velours bordeaux à col châle, fermée à la taille par une ceinture en soie aubergine, avec au cou un ascot jaune canari à motifs fougère. Le pantalon, en flanelle anthracite, tombait droit – bretelles ? –, légèrement trop court, sur des loafers à pompons frangés. Une fois assis, le maître des lieux se releva aussitôt – pour offrir à Francesca un aperçu de sa souplesse ? une vue de sa personne qu'elle aurait ratée ? Là, debout, dentier souriant, une jambe bien plantée, l'autre légèrement fléchie, tournée vers l'extérieur – de façon à révéler l'harmonie de l'ensemble ? la prestance de l'appareil locomoteur ? –, trois doigts dans la poche de sa veste, deux oubliés à l'extérieur, bagués, il désigna de l'autre main, celle au poignet garni d'une Patek Philippe Grande Complication, le guéridon. Francesca se demanda si un pet ne serait pas opportun, sourit à la pensée et refusa le porto. Elle ne buvait pas d'alcool si tôt dans la journée. Sir Bertin, ravi de la réponse, marcha vers la bibliothèque – le genre de cul qui n'a jamais eu de fesses, pensa-t-elle –, y prit un plat de gâteries, s'approcha, se pencha – Eau Sauvage, évidemment – avec onctuosités vers Francesca, qui refusa encore. Il apprécia derechef en jetant un œil connaisseur à la taille fine et retourna s'asseoir. Il croisa les jambes – une bande de peau blanc poulet apparut au-dessus des bas dépareillés, tilleul à droite, paille à gauche –, entrelaça les doigts sous le menton et entreprit l'exposition de ses avatars.

Il était devenu orphelin très jeune et on l'avait placé dans la famille, en Beauce, Sainte-Germaine-du-Lac-Etchemin que ça s'appelait dans le temps, Lac-Etchemin tout court maintenant, chez Napoléon et Urina Lespérance, cultivateurs malchanceux dans la soixantaine, dont les huit enfants avaient déjà tous quitté la maison. Il passait sur les motifs de ces désertions – jalousies, mesquineries, industrialisation, tentations urbaines, maladies – mais il avait eu, pour sa part, une enfance heureuse, choyé par ces vieillards esseulés, même si pratiquement ignoré par ses demi-frères et sœurs, tous décédés maintenant. Juste pour donner idée des écarts : Blanche, sa demi-sœur et deuxième fille de ces Lespérance, avait eu neuf enfants, et Conrad, son plus vieux né en 1910, avait vingt et un ans lorsque lui, son, comme on dit, oncle Bertin, avait été recueilli par Napoléon et Urina à quatre ans. Il laissait donc à Francesca le loisir d'imaginer la tribu : il avait des espèces de demi-cousins, cousines, petits-neveux, nièces sur cinq générations, cent cinquante à deux cents, il ne savait pas au juste, n'avait presque jamais voulu le savoir. Il y avait même un autre Bertin Lespérance de la famille quelque part à Montréal, c'est ce qu'il s'était laissé dire un jour. Parce que de bisbilles en héritages en litiges, il avait coupé les ponts avec tout ce monde, tant pis. Et puis ça sauvait des cadeaux. Mais voilà qu'un arrière-arrière-petit-demi-neveu, qui se disait presque notaire – en *blue jeans* ! –, s'était récemment manifesté avec arbre généalogique, baptistaire, documents officiels, sous motif d'une part d'héritage attribuée par, comme on dit, vice de procédure : lui, Bertin, n'aurait jamais été, en quelque sorte, de la famille, autrement dit un Lespérance, parce que ses parents naturels n'auraient jamais été, comme on dit, mariés, et tatata…

— Au fait, vous êtes mariée ? Vous avez des enfants ? Je suppute dix prétendants à la porte, jolie comme vous l'êtes...

— Non à toutes ces questions. Je pense à un chien mais j'aime les gros, il s'ennuierait peut-être dans mon petit intérieur. Je m'accorde beaucoup de temps libre, par contre, ce n'est pas exclu. Paraît que les danois sont des chiens d'appartement.

Il prit un bonbon, satisfait, et revint sur la famille. Ses demi-frères et sœurs l'avaient – par ailleurs et ne sachant rien à l'époque de ce, comme on dit, présumé vice de descendance –, toujours méprisé parce que, le petit gâté, le dernier arrivé, le presque étranger... Francesca comprenait ? On l'habillait de vêtements neufs, il avait été pratiquement le seul, avec l'aîné curé, à avoir bénéficié d'une éducation post-primaire, il avait échappé à la guerre, etc. Et plus tard encore, oui, il l'admettait, il avait pu profiter, dû à la proximité, des générosités de l'héritage pour, comme on dit, partir d'un pied sûr, réussir, assurer – s'amuser aussi, il fallait l'avouer –, vaincre, développer, mener une vie libre, sans femme sans enfant, beaucoup voyager, au Québec comme dans l'Est de l'Amérique. Mais, attention, on ne lui avait fait aucun cadeau, il avait travaillé fort, d'abord représentant pour une compagnie d'emballage dans les années 60...

— Une petite anecdote qui va vous prouver que je suis, comme on dit, parti de loin – vous allez rire, c'est d'une délicieuse truculence considérant la personne que vous avez devant vous en ce moment. J'avais de gros clients, Canadair, entre autres. J'étais dans la cuisine de la cafétéria un midi, je transportais des échantillons de boîtes. Vous savez comment c'est dans la vente, je voulais réussir, le client d'abord, tatata. Bref, ce midi-là, j'en avais plein les bras, je ne voyais pas où j'allais. On avait déposé une énorme marmite de sauce, comme on dit, à spaghetti en plein milieu de l'allée pour ajuster quelque chose à la cuisinière. Eh bien, figurez-vous que j'avais buté contre cette marmite et que, tombe dans la sauce bouillante, Bertin, comprenez-vous, tête première, au complet, j'ai encore une cicatrice de brûlure à la cuisse. Je ne vous montre pas, mais peut-être qu'un jour…

— Je peux m'imaginer. Vous ne vous êtes brûlé qu'à la cuisse ? Pas au visage ?

— Ah vous me faites un compliment, là.

— Non. C'est-à-dire…

Il lui fit un clin d'œil et continua.

Donc, les échelons de la société, il les avait, comme on dit, gravis, il s'était hissé, on avait voulu l'écarter, il était revenu, il avait claqué, la porte, il avait pris, des risques, investi, des sommes, du temps, fondé, acheté, revendu, réinvesti, empoché, engrangé. Bref, aujourd'hui, il récoltait, il avait passablement de, comme on dit, richesses, une femme intelligente comme elle pouvait en avoir une petite idée – elle avait surtout chaud. Mais il lui manquait quelque chose, l'aisance éloigne, *it's lonely at the top,* et il ne jouait pas aux quilles.

Le soleil s'était déplacé et plombait le dos de Francesca. Quand elle réalisa qu'elle n'aurait pas à nettoyer de placard, elle accepta un verre de porto. Un après-midi facilement gagné. Ce n'était pas un cas spécial, après tout, elle aurait eu des tas de clients à présenter l'un à l'autre, la plupart ne demandaient qu'un peu d'écoute, les soins ménagers leur importaient peu. Elle avait d'ailleurs joué à l'entremetteuse une fois, entre madame Forgues qu'elle avait amenée chez madame Sabourin, qui habitait une résidence à Notre-Dame-de-Grâce. Elles s'étaient installées au salon pendant que Francesca écoutait leur conversation en frottant. Elles avaient habité le même quartier, leurs deux fils étaient allés à l'école ensemble, c'est ce qu'elles avaient découvert avec joie. À un moment donné, Francesca, dehors sur la galerie, avait fait la connaissance du voisin de palier de madame Sabourin, un minuscule rabougri à tête d'oiseau sur une chemise à carreaux et des bermudas trop grands, soixante-quinze ans sinon plus, qui lui avait proposé un voyage en Guadeloupe, décrivant la maison qu'il y possédait sur la plage. Il n'y allait pas l'été, l'été, c'était joli les boulcs d'la plotte manger la raie ma graine à Montréal, trop chaud là-bas-aaaaaaa. Excusez. Il partait en général à l'Halloween, il revenait-èèè pour les séries éliminatoires. Plotte. Excusez.

— C'est rien. Je connais. C'est rare à votre âge. Vous prenez quelque chose pour vous soulager?

— Quoi, me soulager? Oh les belles fesses les belles belles fesses la raie s'ensuit la raie la raie ma graine ma graine viens là que j'te passe la langue en lichant dans la craque du jus viens là viens là mon willy la crosse la crosse bande mon hostie bande touche touche c'est dur c'est dur viens là viens viens faire faire d'la mousse au créateur à pôpa, mais si vous voulez-ééééé, on part demain, on aura chaud tout le monde tout nus. Excusez.

— Je vous ai dit que je connaissais ça : c'est une Tourette de luxe, votre théâtre. Faudrait mieux vous renseigner. Limitez-vous à des cris, c'est plus crédible. Mais les excuses, c'est pas mal trouvé. Excusez-moi à mon tour, j'ai du travail à l'intérieur.

— J'ai plus trop de temps à perdre. Excusez.

Madame Sabourin connaissait bien son voisin. Il n'était pas dangereux, un petit comique. Elle était deux fois plus forte que lui. C'était drôle en fin de compte. Divertissant. Plus personne ne lui faisait la cour.

— Je sais que ces choses-là se font maintenant par Internet, dit Bertin Lespérance, je me tiens au courant. Je suis encore allumé, vous savez, mais je ne crois pas arriver à vraiment maîtriser l'ordinateur. Je n'ai plus trop de temps à perdre – avec cette histoire de descendance, vous comprenez ? Et puis, ça me semble un peu déshumanisé, ces agences de bout du monde à portée de clavier. Anonyme. J'aime mieux, comme on dit, voir. Et ce que je vois, là, maintenant, me plaît beaucoup. Je ne sais pas quelles sont vos, comme on dit, dispositions, mais voyez ça comme une affaire, une occasion. Je vous propose le, comme on dit, mariage.

— Rien que ça ? Comme ça ?

— Rien que ça, comme ça. J'avais des critères précis, vous les rencontrez. Je cours moins de risques de me tromper qu'avec une Philippine dans un catalogue informatique – cela dit sans vous offenser : il n'y a pas de comparaison possible, évidemment. Voyez-vous, l'arrière-demi-arrière-petit-neveu m'a ouvert les yeux. Et il me dérange beaucoup. Il me téléphone, il m'offre ses services de notaire en *blue jeans,* il me parle d'arrangements, il m'invite à rencontrer la tribu, il insiste, il dit qu'il veut m'aider. Il voit bien que je suis, comme on dit, à l'aise, il suppute l'héritage, c'est évident. Vous aurez votre chambre, votre vie. Votre chien, si vous voulez. Ma fortune, tôt ou tard. Je ne voudrais pas que ça aboutisse dans les cent cinquante-trois poches de cette famille, ces gens que je ne connais pas, vous comprenez ? C'est gagnant-gagnant comme situation, vous ne trouvez pas ?

— Pourquoi moi ?

— Parce que j'ai du flair. Du vieux flair, mais du bon. Je vous l'ai dit, on parle affaires. Vous êtes trop bien pour ce travail, vous n'y gagnez rien, il faut profiter des opportunités. Et, comme on dit, j'en suis une, bien modestement. Je constate que les jeunes n'ont plus tellement le sens des affaires – sauf cet arrière-arrière-demi-petit-neveu en *blue jeans,* mais c'est un demi-arrière-arrière-petit-neveu de Beauceron. Vous savez cuisiner ? Je ne suis pas exigeant. Et j'ai un condo à Los Angeles, soit dit en passant. Je n'y vais presque plus. C'est dommage parce que c'est merveilleux. Pasadena. Beaucoup de, comme on dit, vedettes.

Francesca se leva. Bertin Lespérance s'empressa d'en faire autant. Il en perdit un peu l'équilibre et posa discrètement quelques doigts bagués sur l'accoudoir.

— Pensez-y, n'est-ce pas ? Le printemps est à nos portes, ce pourrait se faire très rapidement.

— Merci pour le porto. Je vais demander qu'on vous envoie quelqu'un d'autre, je ne suis pas disponible.

— Oh, vous avez un ami finalement. Ou un, comme on dit, prospect ? À la limite, je ne sais pas... j'ai déjà pensé à cette possibilité... je veux dire, je viens tout juste d'y penser... Votre collègue m'a laissé entendre, ou du moins j'ai cru comprendre, que vous aviez quelques connaissances en soins infirmiers...

— Elle vous a dit ça ?

— Pas vraiment, non, mais... c'est une intuition... C'est un métier d'avenir. Je pourrais contribuer au, comme on dit, financement de vos études... si jamais vous...

— Non, je...

— Bon, bon, dormez sur ces propositions. Supputez, comme on dit. Vous verrez. J'apprécierais beaucoup que vous reveniez, par ailleurs, quelle que soit votre décision. Nous pourrions parler de vous cette fois, je pourrais admirer de nouveaux joyaux de votre garde-robe. Vous avez vraiment très bon goût. Et je m'y connais. Justement, à ce propos, je ne sais pas si vous pourriez me rendre un petit service. Je suis en panne de, comme on dit, magazines.

Elle décida d'y aller à pied. Quinze minutes d'air frais. C'était dans ses tâches, comment aurait-elle refusé ?

Vieux testo. Tous pareils.

*

Un monsieur âgé, trapu, voûté, gros nez, yeux exorbités, coiffé d'un borsalino beurre rance, revêtu d'un trench noir élimé, douteux, chaussé de galoches en caoutchouc veinées de calcium, attendait son tour à la caisse de la Maison de la Presse internationale. Francesca, devant lui, tendit sa carte de crédit au commis. *Sélection du Reader's Digest* et sept revues de mode, une centaine de dollars – elle avait refusé le chèque en blanc que Bertin Lespérance lui proposait, il n'avait à la maison, vieux bluffeur, que des billets de cent. En attendant la confirmation, le commis sortit un grand sac de sous le comptoir. Francesca lui dit que ce n'était pas nécessaire.

— Elle sont chères, hein? dit Borsalino à Francesca.

— Comment vous dites?

— Je dis qu'elles sont chères, les magazines. J'étais là-dedans avant.

— Quoi donc?

— *All that*. Des années, des années, *years*. Représentant des magazines. J'ai eu ma business après. Mais avant, sur la route, j'ai voyagé partout. Toutes sortes de magazines. Mode, surtout, c'est les meilleures, les plus belles, *big money*. Vous êtes dans la mode?

— Oui.

Le commis devait reprendre l'opération. Francesca replongea dans son sac, reprit son portefeuille, un nécessaire tomba à ses pieds, Borsalino s'empressa de le lui ramasser, elle sentit un souffle sur ses jambes.

— Vous êtes designer, quelque chose comme ça?

— C'est ça, oui.

— *And what's the name of the company?*

Francesca et le commis attendaient la confirmation.

— *Oh, you don't speak English.*

— *Yes, I speak English.*

— *So what's the name of the company you work for?*

— *No. I'm sorry... I... I'm on my own.*

— Oh. I see. And, well, what's your name ? I mean, just in case... you know...

Francesca regarda en souriant le commis souriant qui lui rendit sa carte et le reçu. Elle hocha la tête en signant, marmonnant.

— Tous pareils. Tous.

Borsalino la regarda sortir. Il lança un deux dollars sur le comptoir, dépité.

— They don't understand. They just don't understand how it works. They're really not business oriented.

Le commis lui avait remis la monnaie et tentait de faire entrer les deux journaux dans un petit sac en les roulant.

— Non, non, *young man.* Donnez-moi un grand sac. *I want a big bag.*

— Je n'en ai pas.

— Comment ? La femme, là, tu lui as sorti un grand sac !

— Oui, mais c'était pour les grandes revues. Il faut que je les garde pour ça. J'ai des ordres : grandes revues, grands sacs.

— Quoi ? ! *Come on, don't try to save on fuckin' bags. Gimme a big one.*

— Écoutez, désolé, je peux pas.

— Ah, shit ! Gimme my money back, here's your bloody newspapers. Now I know where not to come. And think a little bit more. Try to be a little business oriented, you kids. Really.

PLUSIEURS MILIEUX DU MONDE

J'avais fait du comptoir de Jenk, Venice Beach, Californie, juillet 1966, un milieu du monde. L'endroit s'appelait Meanwhile Rotolo Restaurant, jamais su d'où, jamais demandé pourquoi. J'y étais entré parce que c'était le bout de la rue, que je devais tourner à gauche ou à droite, va savoir d'où me venait l'auto, que je n'avais de préférence ni pour l'un ni pour l'autre, et que le panneau sur le trottoir annonçait des *empanadas* pour ma faim.

Je revois très bien la rue mais pas vraiment son nom, Sycomore Street, par là, bordée de flamboyants frôlant les toits des boutiques déglinguées aux devantures peinturlurées. On y trouvait, d'une porte à l'autre, la panoplie du néobeat : quincaillerie d'hallucinogènes, disques et livres incantatoires, surplus militaires, meubles végétaux, pacotille indienne, hindoue, andaise, propagande d'ashrams, vêtements et accessoires ancestraux, joaillerie et distillats à profusion ; du toc, essentiel à la révolution annoncée, à la Grande Déception, mais rien à manger : les enfants de *Mother Earth*, Venice Beach, juillet 1966, carburaient au peyotl, au

LSD, aux *bennies* et amphétamines, à la mescaline, ils n'avaient pas faim.

Moi si.

J'étais en Californie depuis peu, parti d'Hochelaga un matin de giboulée, sanctionné par le mot laissé sur la table de cuisine à mes parents, et je fumais soixante-neuf grammes de hasch à l'heure. J'avais fait Montréal-Los Angeles sur le pouce, les poches vides – la survie n'était pas une question, dope, transport, gîte, philosophie, bouffe, baise, tout m'arrivait à point, merveilleux, gratuit –, et probablement étais-je encore fauché ce jour où je me retrouvai Sophomore ou Sycomore Street. Fauché et sans scrupules puisque je vendis bientôt l'auto qui ne m'appartenait pas à Brendan, l'échalas hypertonique à côté duquel je m'installai au comptoir de Jenk.

Trevor Jenkins, propriétaire du Meanwhile Rotolo Restaurant.

Homme surmultiplié, de toutes les instances, psycho-freak, shaman-banquier, diplo-gourou, pédophile à poitrine dynamo cannibale, alpiniste motorisé, poète de *Reader's Digest,* pseudo-drogué dont le sang était de l'argent coulant.

Tout ça sauf restaurateur.

Parce qu'il n'y avait qu'une chaîne stéréo, une machine à expressos italienne, un comptoir et ses tabourets au Meanwhile, le reste de la salle était sombre et nu, s'y pointait de temps à autre une souris qui retraitait bien vite derrière le rideau en perles du sniffoir où Jenk avait entreposé tout ce qui aurait fait de son trou un restaurant.

*

Le bar est une brasserie qui souhaite encore la bienvenue aux dames. La salle est clairsemée d'hommes seuls. Un petit groupe est assis au comptoir et jase avec le serveur, qui boitille en ma direction, quarante ans de métier dans les jambes, torchon à l'épaule, ramassant en chemin une bouteille, un cendrier, un sac de chips froissé. Il écoute mes requêtes sans sourciller. Dos au mur – on croit que c'est la meilleure place mais vaut parfois mieux ne pas voir venir –, trois buveurs d'expérience, chacun pour soi à sa table, méditent hier devant une grosse. D'autres, j'en suis, sont installés à proximité du grand écran devant un match du Mundial : Équateur-Italie. Ça n'intéresse personne que moi, qui ai tenu dans mes bras, nourri et torché le milieu de terrain équatorien Edison Asencio. Il n'y a pas eu objection du serveur : les séries font relâche, les Canadiens n'en sont de toute façon pas. Suffit que j'explique les coups francs, hors-jeu et corners à mes voisins, juste ravis qu'on leur adresse la parole.

Dehors, avenue du Mont-Royal, c'est soir de magasinage, les portes de la brasserie sont grandes ouvertes sur l'affluence. Un gros bas-cul, shorts, bas blancs, baskets d'ado, t-shirt des Expos, manifestement dans son milieu du monde, sort, revient, parle fort, va de l'un à l'autre, paquet de cigarettes dans une main, petite Bud dans l'autre. Il renouvelle souvent, il n'a qu'à crier d'où il est le nom du serveur : Roger.

*

Le lendemain, au bout du comptoir, dos à la porte – je ne connaissais pas ma chance –, j'avais ma place au Meanwhile ; et si je ne vois encore pas très bien en quel honneur je devins si rapidement un habitué de leur point de vue à eux, Jenk et ses givrés, je le vois très bien du mien : la coco. Après un mois de tabouret, j'avais perdu dix kilos. Parce que, s'il n'y avait rien de moins que le meilleur café de Venice au Meanwhile Rotolo Restaurant, il n'y avait pas plus à manger qu'ailleurs sur la rue. Ou sinon, apportés de temps à autre vers midi par une toute jeune Mexicaine avec qui Jenk était d'une gentillesse et qu'il présentait vaguement comme sa fille, des *empanadas* qui racornissaient sur une espèce de *thali* jusqu'à ce qu'on les distribue en fin de journée aux enfants de la nuit et aux clochards célestes.

Cette première fois, donc, je me jetai sur le *thali*. Ils me regardèrent, sans animosité, *Sure are hungry, man, I don't even know how much I charge for that.* Personne d'autre que Jenk au Meanwhile n'était admis derrière le comptoir. Il mit la main dessous, en ressortit un grand miroir, vint le poser à côté du *thali,* me demanda si j'étais bien le gars du reflet, celui qu'ils attendaient avant la conquête.

J'étais fait.

*

Le bas-cul en shorts, qui s'appelle Bertin, s'installe devant un des cinq vidéopokers. Il regarde ailleurs en frappant les touches, l'air blasé de celui qui n'est dupe de rien, surtout pas d'une machine moins intelligente que lui. Il joue quelques parties et part en tournée, entretenant son monde de table en table, blaguant, s'aventurant derrière le comptoir – Jenk a un petit soubresaut dans sa tombe mais Roger s'en fiche. Il sort une liasse, qu'il déploie au nez des trois givrés qui étirent leur bock sur les tabourets, et dépose ostensiblement un vingt sur le comptoir. Roger lève sa vieille carcasse, prend des bocks glacés dans le frigo, les remplit, les dépose devant les givrés, qui les soulèvent en l'honneur de Bertin, qui repart s'installer devant une machine. En passant derrière Sabourin, il lui glisse un mot.

*

Jenk me dit peu après qu'il avait immédiatement décrypté mon aura et perçu plein de bonnes *vibes* entre moi et lui. Question physique, il était énorme. Il avait trente ans passés, la couenne dure et tannée, des yeux renfoncés d'un bleu pacifique, une broussaille salée poivrée dissimulant des dents de requin. Il portait en permanence un chapeau tyrolien, un gilet fleuri sur un t-shirt des Mothers, et des shorts à coffres-forts pour sa marchandise, son cran d'arrêt et son fric.

Don't trust anybody over thirty.

Mon aura me procura donc une promotion sans probation. C'était un début de nuit sous les flamboyants – une de ces nuits L.A., angélique, d'une douceur fébrile, d'une tension fragile. Jenk avait mis tout le monde à la porte, moi compris pour la forme : il voulait me parler, je devais revenir par l'arrière. Les givrés qui traînaient au comptoir ne lui donnaient pas satisfaction, me dit-il après deux lignes de dix pouces la narine, tout juste bons à vendre sur le Strip ce qu'ils revenaient sniffer dans l'arrière-salle. En plus, il lui fallait un nouveau visage, en l'occurrence, un compatriote de Baudelaire – pas plus géographe que restaurateur, le Jenk. Les souris dansaient sur les tables, et je me bourrais le nez de la plus fulgurante coco au nord de Tijuana, de la qualité qui demandait son quart d'heure de lame. Coupée à la fructose, c'était encore de la poudre de vedette, et c'est ce que j'aurais de temps à autre pour mission de livrer, me proposa Jenk en m'agrippant l'aura, à diverses portes de Beverly Hills, Bel-Air, Westwood. Un nouveau contrat, *French fuckin' film stars... Ooh la la! Déjà viou! L'amour, toujours l'amour! C'est magnifique!* Personne, mais personne autour du comptoir ne devait être au courant. Certains soirs, il me filerait en douce l'adresse du lendemain, les clés de l'auto de livraison et les coordonnées de l'endroit où elle se trouverait à l'aube, coco dans une enveloppe, enveloppe dans le coffre à gants. Je devrais ensuite rouler de-ci de-là, ma spécialité, dans Hollywood, traîner autour des studios, y entrer, en ressortir affairé, livrer l'enveloppe, faire signer un reçu. À midi, ma journée serait terminée, *Easy cheesy, man, hundred bucks in your pocket,* coco, *empenadas* et expressos à discrétion.

*

Sabourin est un type bien mis, rasé de près, chemise blanche, cravaté, le cheveu soigneusement taillé, une fesse appuyée sur un tabouret devant un vidéopoker.

Il fume à la chaîne, boit sa bière à petites gorgées, nerveux, dans son monde. Il appuie sur le bouton, jette un œil absent à l'écran où défilent à la mi-temps – deux buts de Christian Vieri, 7´ et 27´, l'Italie amorce le tournoi sans ambages, l'Équateur se débrouille – des images de Ground Zero, terrorisme, génocides, tueries, Bush, famines, pauvreté, Ben Laden, pétroguerres, foules à poings brandis. Puisque le mal est ailleurs et que sa chance, il en est certain, a tourné, il revient à sa fenêtre de trois par trois, jamais et toujours pareille. Une ligne clignote de temps à autre, cerises, sept, cloches, oranges ; son crédit monte le temps qu'il redescende. Une fois, il se lève, fait signe à Roger, colle son tabouret contre sa machine, y dépose son bock et quitte le bar d'un pas pressé. Il revient cinq minutes plus tard, va directement à Roger échanger quelques billets de vingt dollars pour plus petit.

*

Ô les beaux jours.

Tête givrée, je passais mes nuits sur un toit, sur fond de galactique et d'océan, me masturbant, écrivant des poèmes aux filles qui s'effeuillaient aux fenêtres d'un bordel vue imprenable, à celles qui se tortillaient toutes molles dans mes rêves givrés. J'en abordais sur la plage, on se les givrait ensemble, et la chatte et le roc et le pic et le cap – effet nul mais quelle érection rien que d'y penser –, j'étais approvisionné pour les impressionner. Je les quittais à l'aube, *Goin' to work, have a nice forever, honey.* Ça se passait sans heurts, l'auto était à l'endroit prévu, modèle pas trop voyant, de bonne tenue, probablement surveillée, des dizaines de grammes dans le coffre à gants. Je me présentais franchement aux portes des palais ridicules, humble courrier de studio, probablement épié. L'argent m'était glissé par un valet – sans un mot de français, Baudelaire mon œil – entre les feuilles de mon carnet de reçus. J'abandonnais ensuite l'auto à l'aéroport ou dans un stationnement de centre commercial, et je revenais à midi au Meanwhile, probablement suivi, m'installer au comptoir devant mes *empanadas* et mes expressos. Jenk fermait boutique aux deux heures, et les associés passaient au sniffoir s'en mettre un gramme ou deux pour la suite du monde : Brendan, l'hypertonique qui m'avait acheté l'auto le premier jour ; un tout jeune Mexicain beau comme Jim Morrison, qu'il connaissait et qui aurait pu faire marcher le Meanwhile à lui seul ; Vlad, le roi du Strip, autre faux-cul de trente ans passés ; un suicidaire du nom de Robbie, que Jenk envoyait se faire suicider dans les transactions les plus sombres. Et moi, Baudelaire de service, au milieu du monde.

*

Les cinq vidéopokers sont peu à peu occupés par des clients qui n'entrent dans le bar que pour jouer, qui ne boivent même pas. Sabourin est toujours là. Le match est terminé depuis longtemps – 2 : 0, la Squadra Azzurra a assuré, les Cóndores n'ont pas vraiment menacé, Edison a reçu un carton rouge, baveux comme sa mère –, l'écran montre des choses à acheter absolument et le numéro de téléphone à composer maintenant pour les acheter immédiatement. La musique est forte, des éclats de voix fusent d'un groupe autour du billard près des toilettes au fond, de nouveaux hommes seuls, ou ceux de tantôt, sont assis à leur table le long du mur. Bertin était parti, il revient avec un vélo à vendre, il fait le tour de la place dans une indifférence amusée, c'est à un de ses amis qui vient de s'acheter un Lincoln, explique-t-il, Va donc chier, Bertin, hostie d'plein d'marde, il en veut soixante piasses, ça en vaut six cents. Roger vient lui dire un mot – en me désignant ? Bertin s'en va avec son vélo après un détour par les vidéopokers. Roger est retourné s'asseoir sur sa chaise derrière le comptoir, on ne sait pas au juste ce qu'il regarde ni ce qu'il écoute. Il attend.

*

Jenk me prêtait la clé d'un appartement où je pouvais aller prendre une douche, pas plus. C'était à un de ses amis en voyage, m'expliquait-il. L'appartement était vide ; la clé ouvrait la porte d'un petit balcon ombragé, trop tentant, donnant sur un canal. Un jour que j'en revenais, à peine assis sur mon tabouret, Vlad s'approcha et me glissa à l'oreille que je jouais avec le feu. Je regardai Brendan, il me fit un clin d'œil grinçant. Jenk revint des toilettes, reprit la clé de l'appartement sans dire un mot, ferma boutique, et nous passâmes dans le sniffoir.

*

Vers minuit, une dizaine de personnes attendent qu'un vidéopoker se libère. Sabourin n'a pas lâché le sien. Il fume, ne boit plus, ne montre aucune fatigue, aucun signe d'exaspération. Un court moment, ses crédits grimpent à trois cents dollars et quelques. Une femme arrive du dehors, jolie, grande, droite, habillée avec goût et justesse sans éclat. Les yeux rivés sur Sabourin dès l'entrée, elle savait très bien où le trouver. Elle se tient un peu en retrait, il sait très bien qu'elle est là ; elle voit monter les crédits, encore un peu, puis elle les voit fondre ; elle met les mains dans les poches de son jeans, elle ne bouge pas, ne regarde que par-dessus l'épaule de Sabourin – ou est-ce son dos qu'elle fixe ? –, elle part avant la nouvelle mise.

*

Je me promenais avec des milliers de dollars en poche, les miens et ceux des transactions. Je me voyais faire du bon travail, allant souvent jusqu'à Watts abandonner la voiture, flânant, suivant la foule, entrant par une porte, ressortant aussitôt, grimpant dans un autobus, débarquant en courant pour en attraper un autre, sautant dans un taxi. J'étais dans un film, brouillant les pistes mais pas le scénario : filé d'une aube à l'autre, que j'étais, je n'ai jamais su par qui – les sbires de Jenk, la concurrence, la police.

Il y avait eu trois jours consécutifs de livraison. De plus grosses quantités, m'avait-il semblé. Le quatrième jour, l'enveloppe était un paquet que j'échangeai contre un autre, déballé dans l'auto pour répartir les billets dans mes poches. Dix mille dollars. Givré ou pas, c'était une grosse somme, et je décidai d'aller directement au Meanwhile m'en débarrasser. Je stationnai l'auto à proximité de la plage, fit le reste à pied, nerveux. Il était huit heures trente, par là. La rue était encore couchée, pas rassurante pour autant, le Meanwhile fermé. Je savais que Jenk arrivait tôt, s'il ne passait pas la nuit dans le sniffoir avec les souris. J'escaladai la clôture arrière, cognai à la porte. Le rideau bougea, il m'ouvrit. Il était nu, de mauvaise humeur. Je lui dis que les conditions de travail changeaient, que je ne voulais pas trimballer une telle somme toute la matinée, que je ne le dérangerais pas plus longtemps qu'il ne fallait pour qu'il me passe la clé de l'appartement du canal en échange des dix mille dollars. Il me dit que c'était fini, la douche, que je m'y étais assez compromis, et qu'il me payait pour que je lui remette l'argent à midi, pas avant. Il referma.

Je me blottis dans un coin de la cour, derrière du feuillage et un tas de planches. Quinze minutes plus tard, la fillette aux *empanadas* sortit du sniffoir, traversa rapidement la cour. Peu après, j'entendis des rires approcher de l'autre côté de la clôture, une clé joua dans la serrure. C'était Vlad et Brendan avec deux filles. Ils avaient la clé du sniffoir.

*

À une heure, je suis toujours assis seul à ma table, près de l'écran porno, vue imprenable sur les vidéopokers. Je n'ai presque plus de cigarettes. Sabourin est aussi à sec, je l'ai vu taper Bertin. Roger ne se déplace plus aux tables; peut-être y a-t-il trop de monde maintenant pour qu'il s'éloigne du comptoir, peut-être est-il fatigué. Je suis rejoint dans les toilettes par un type qui prend l'urinoir voisin et qui me dit qu'on ne me voit pas souvent par ici, est-ce que j'aurais besoin de quelque chose ? Je lui dis que c'est comme ça, qu'il y a plusieurs milieux au monde, je n'ai besoin de rien qu'il a. J'ai fini, je retourne à ma table, il retourne au billard.

*

J'attendis quelques instants dans mon coin, puis je sortis en douce par la ruelle, pris un taxi pour l'aéroport, passai le reste de la matinée dans un hall sécurisé par des policiers, avec vue sur les pistes. Dix mille dollars et passeport en poche, avais-je un quelconque vol 714 pour Sydney en tête ? je ne me souviens pas, c'aurait été une solution – et peut-être serais-je encore dans quelque trou australien, à minuit demain, dans un autre milieu du monde, mêmes Ground Zero, terrorisme, génocides, tueries, Bush, famines, pauvreté, Ben Laden, pétroguerres, foules à poings brandis, semblables Sabourin, Roger, Bertin, vidéopokers, billard, bière – mais à midi j'étais de retour au Meanwhile, sur mon tabouret, devant les *empanadas* et l'expresso, après avoir scotché l'argent sous le couvercle du réservoir de la toilette, comme convenu avec Jenk, procédure bidon d'autant plus que nous étions seuls. Il avait un air renfrogné, s'affairant au nettoyage de la machine à café. Il me dit que le territoire serait dorénavant élargi, Pasadena, Burbank, San Fernando. J'étais toujours son homme ? mon idée était plutôt de m'enfiler quelques *empanadas* et expressos – quelques lignes – puis d'aller me faire voir en Amérique centrale pour l'après-midi,

… et il y eut un ricanement et des pas dans mon dos – vaut parfois mieux ne pas voir venir –, une respiration creuse à mon oreille, c'était Lyndon B. Johnson, il m'écrasa le nez avec le canon de son revolver, qu'il pointa ensuite sur Jenk, j'entends encore les détonations, je n'ai jamais pu dire combien, je vois le bras tendu devant moi, une manche à carreaux, je sens la poudre et la sueur, Lyndon B. qui recule en sautillant, qui me regarde de sous le masque – Vlad ? Brendan ? Robbie ? Jim Morrison ? le Mexicain ? –, qui pointe à nouveau quelque chose sur moi, un canon, un doigt, qui esquisse une danse.

Qui m'épargne.

Qui s'enfuit par où il est arrivé.

Je me précipitai aux toilettes, pris l'enveloppe sous le couvercle du réservoir, réflexe d'enfer, traversai le sniffoir, défonçai la porte ou la fenêtre, sautai la clôture et me mis à dévaler la route de San Diego.

*

Je me rendis jusqu'en Colombie, où je serais peut-être maintenant six pieds sous terre, cancer de narine, si je n'avais pas suivi une Suissesse de passage, Beatrice, à Súa, village de pêche à trente-cinq kilomètres au sud d'Esmeraldas, Équateur. Deux sœurs, Juanita et Gabriella Obregon, y tenaient un café sur la plage, le También con plátano, jamais su d'où, jamais demandé pourquoi, même en douze ans. Gabriela donna naissance en 1974, un soir d'orage électrique – d'où le prénom –, à Edison. Il prit le nom de mon beau-frère de sang, Asencio, mais on ne sait pas vraiment de qui Edison était le filleul, les deux sœurs étaient magnifiques. Il y a donc un peu des dix mille dollars de Jenk dans l'équipe nationale de football équatorienne, qui participe pour la première fois de son histoire au Mundial – et qui devait éventuellement perdre ses deux autres matchs de poule, 1 : 2 contre le Mexique, goal d'Agustin Delgado, et 0 : 1 contre la Croatie. Je ne sais pas de qui Sabourin prend maintenant son argent, peut-être de Bertin, peut-être d'un truand autour du billard, mais il est près de deux heures du matin et il joue toujours. Roger ne se déplace plus, il faut aller chercher sa bière au comptoir, la prendre carrément dans le frigo si on est un habitué. Comme à Súa, la nuit venue. La terrasse du bar, aussi financée par Jenk, surplombait la plage. Les touristes partis se coucher, les copains arrivaient, je baissais les lumières, les voix en faisaient autant, et on jouait aux cartes en buvant et en jasant. Et si des pas crissaient sur le ronron de l'océan, je retenais mon souffle, tout au long de ces douze années j'ai retenu mon souffle, craignant la visite d'un Lyndon Baines Johnson, Richard Milhous Nixon, Gerald Rudolph Ford, Vlad, Brendan, les salutations me rassuraient, mieux vaut un diable connu que vingt hommes inconnus, et c'était reparti, la nuit gagnait, je fermais rarement avant quatre heures – c'est Juanita qui ouvrait pour les déjeuners des touristes –

… et soudain

la grande femme est là, derrière Sabourin, personne

ne lui prête attention, l'endroit est bruyant maintenant, non pas à cause des vidéopokers – Juanita s'était débarrassée du flipper parce qu'elle n'en pouvait plus d'entendre la ritournelle à longueur de jour – mais des givrés qui gueulent et que la nuit éveille, je ne sais pas ce que je fais encore là, la grande femme de tantôt, assez jolie, dans la quarantaine, droite, habillée avec goût et sobriété, ayant vécu de longues années avec Sabourin, on le voit à la façon dont ils ne se regardent pas, sort posément une bombe aérosol de son sac en bandoulière, elle commence par asperger de noir la chemise blanche de Sabourin, qui ne réagit pas vraiment, qui se lève pourtant du tabouret, qui se tasse un peu, comme enfin, comme exprès, comme si c'était un soulagement, et la femme asperge maintenant la machine, systématiquement, la fenêtre, les boutons, la manette, le cadre, puis quand la bombe est épuisée, elle en sort une autre et continue à noircir la machine.

FAIRE QUELQUE CHOSE ENSEMBLE

Un des deux amis avait suggéré qu'ils fissent quelque chose ensemble. En fait, ils n'étaient pas encore amis, plutôt collègues, et pas depuis longtemps. Mais ils s'étaient reconnus immédiatement. Le plus jeune, Bertin, avait été embauché avant Théo, de deux ans l'aîné. Mais un mois ou trois, de plus ou de moins d'expérience, ça n'avait pas d'importance pour ce genre de travail, dans l'entrepôt d'un grossiste en fruits et légumes, à charger et décharger des camions. Une job dangereuse, s'amusaient-ils à signaler à leur contremaître. Car à dix heures le plancher de l'entrepôt était déjà visqueux, et comme ils jouaient tout au long de la journée à se lancer et à botter des légumes – les aubergines étaient les plus satisfaisantes à écrapoutir –, c'est en patinant qu'ils se dirigeaient à seize heures vers la pointeuse. Ils allaient ensuite à la brasserie du parc industriel, et c'est une de ces fins d'après-midi que Bertin avait proposé qu'ils fissent quelque chose ensemble.

— Comme quoi ?

— Comme apprendre l'italien.

— Esti d'malade, man.

Bertin avait pris un air sérieux. Une pensée lui était venue récemment. Une question, plutôt. De vrais amis, qu'est-ce que c'était ? Il avait vu un film de guerre, une vieille guerre en pieds de bottes percées, avec des fusils à baïonnette, de la vieille pluie qui rigole des casques rouillés, pendant que deux soldats parlent de leurs blondes en se passant une smoke débandée dans le fond de la tranchée, en attente de la grenade qui pourrait les transformer en tomates écrabouillées. Alors il avait vu ces deux pauvres soldats qui s'échangeaient calmement une peut-être dernière cigarette, et il était là, lui, dans le salon de sa mère à se les pogner sur le sofa avec sa bière ; et le film les avait montrés, ces deux survivants, quarante ans plus tard, qui s'échangeaient des souvenirs et des photos de petits-enfants dans un café ; et ça lui était venu comme ça, c'était étrange d'avoir de telles pensées – ça lui avait donné le goût d'en avoir d'autres : avec qui échangerait-il des souvenirs émouvants plus tard ? Rien ne valait le danger pour être de vrais amis. Rien ne valait la peur venant des tripes.

— Pas la peur d'manquer d'te casser la gueule, tabarnac, sur un hostie d'plancher d'aubergines, pas c'danger-là, 'stie. Un vrai. Qui t'fait chier dans tes culottes.

— Où tu veux trouver ça pas loin, man, une guerre ? Tu veux nager jusqu'en Irak, man ? Tu veux t'faire enlever par Ben Laden, passer à tivi, man, une machette su'l'bord du collier ? Ils vont t'laisser là, man, l'gouvernement canadien va rire de toi, ils vont pas t'commanditer, t'es rien qu'un shipper de tomates, man, ils donneront rien pour toi.

Ils envisagèrent d'autres lieux de conflit dans le monde, des noms de pays dont ils n'avaient que vaguement entendu parler à la télévision – qu'ils ne regardaient pas beaucoup de toute façon. Rien ne les inspirait, aucun nom de peuple, vaguement entendu à la radio – qui jouait en permanence dans l'entrepôt mais pas aux postes de placotage –, aucune cause ne valait la peine. Et comme le deuxième pichet était loin d'être terminé et que passait l'heure du souper, ils téléphonèrent à leur mère pour ne pas qu'elles s'inquiètent, disant qu'ils allaient au cinéma.

— J'ai quelque chose pour tes pensées, man, qui fait ben plus chier, avait lancé Théo en revenant des toilettes : vivre comme avec genre huit piasses et trois de l'heure toute ta vie, man, ça t'fait quoi ? Pas savoir comment qu'tu vas faire avec ton secondaire pas fini quand ta mère sera plus là, c'est pas dangereux assez pour toi, ça, man ? Moi, j'flippe, man. J'te l'dis, quand j'pense quand j'vas avoir soixante-cinq ans, man, pis encore du christi d'jus d'aubergines en dessous d'mes bottes, j'capote raide, man. L'chemin jusque-là, c'est du gros danger, ça, man. Des p'tits. Une femme, deux ex. Des dettes. Pas d'char, pas d'maison. Fuck ! T'as raison, man ! Finalement, t'as raison en esti ! Trouve-moi une tranchée, man.

— On va être deux, 'stie, à téter l'gérant d'banque. Plus : on va être deux mille… Deux cent mille, tabarnac ! Le monde s'en va dans le mur, câlisse, endetté à l'os, sacrament. C'est du malheur, ça, pas du danger. D'la p'tite hostie d'vie. Pour soulager la p'tite hostie d'vie, ça prend du danger. C'est ça, mon chum, ma grande réflexion.

Ils trinquèrent à la philosophie, vidèrent le pichet, en commandèrent un troisième, et se mirent aux malheurs potentiels et écueils prévisibles de la vie. Théo les énuméra sur ses doigts : les femmes, le travail, le cash. Partis pour réfléchir, ils se demandèrent si le malheur était le manque ou le trop. Trop de cash, certainement pas. Trop de femmes, non plus... quoique ; mais alors, il fallait beaucoup de cash. Et puis il y avait deux problèmes ici : trop de travail ne résultait pas nécessairement en trop de cash, et beaucoup de cash – il n'y en avait jamais trop – n'apportait aucune satisfaction s'il y avait trop de travail. En tout cas, les deux en même temps, c'était poche, parce que le principe de la richesse, c'était d'en jouir. C'était là de grandes vérités qu'ils n'avaient jamais vraiment formulées comme tel, et ils vidèrent leurs verres à la santé de la conversation. Parlant de jouissance, ils réglèrent bientôt la question des femmes, qui était un peu spéciale – à la fois danger et malheur – et sur laquelle on ne pouvait pas ne pas s'entendre : le manque de femmes, ou le manque de diversité, étaient des malheurs ; le trop de femmes, un danger, surtout pour la richesse. L'idéal, selon Théo, c'était une Nicole ou deux par semaine, en alternance avec Carole – la réceptionniste, pas la comptable.

— Assise drett' là, man, la noune su'l'nez, man, qui t'passe un poignet en t'mangeant l'toe cap de temps en temps. Comme ça, pas d'danger.

— Danger de quoi ?

— Danger d'enfant, man.

— Mais j'en veux, moi, des enfants, 'stie. Cinq, dix. C'est pas du malheur ni du danger, ça, mon chum. J'suis pas d'accord en tabarnac.

— Écoute ben, man. Dix enfants, imagine-toi l'cash que ça prend. Et pis, tout seul qu'tu veux ça, man, tes dix enfants ? Avec pas d'femme ?

— Cinq avec Nicole, cinq avec Carole, 'stie. Avec du cash, tout est possible, mon chum. Encore plus cool : j'engage des bonnes, j'fais d'autres enfants avec. Une fois qu't'as plein d'cash... R'garde Tom Cruise... Il s'pose-tu ces questions-là, lui, 'stie ?

Tom Cruise rayonnait à l'écran, entouré d'admiratrices et de syndiqués de l'hôtellerie retenus par des cordons et des agents de sécurité, interviewé à la porte du Reine Elizabeth par une grande rousse à frisous, frémissante d'enthousiasme. Quand, l'espace d'un instant, apparurent dans la foule quelques pancartes établissant le lien entre la scientologie, les dorures de l'hôtel et la guerre en Irak, la caméra se déplaça légèrement pour mieux cadrer Tom Cruise.

— Pas *star fucker* trop trop, la fille, han man ? Checke-la qui liche l'micro. Ça joue chez nous, c'te marde-là, pendant qu'on mange, man. Ma mère veut pas manquer ça. Ça s'appelle *Star Démocratie,* man. Tom Cruise, Roy Dupuis, Céline Dion, man, l'pape, toutes les vedettes passent là. Des fois, ils font des jeux débiles dans la rue, man, ils rient du monde, man, entre deux interviews d'esti d'vedettes, man. Débile. Un autre danger, man : la dé-bi-li-té. Ajoute ça à ta liste, man.

— On est loin en hostie du danger pis d'la peur de tripes, là, mon chum. C'est pas d'ça que j'te parlais.

J'te parlais, 'stie, des amis que l'danger a fait, 'stie, de phi-lo-so-phie, de « l'enfantement de l'amitié par le partage du danger ». Han ? C'est pas bien dit, ça, mon chum ? Des guerres, pis tout ça.

— « À mon humble avis », man, y'a pas d'guerre assez cool pour nous deux, man, faut s'en faire.

— S'en faire de quoi ?

Star Démocratie en était maintenant au volet comique, avenue du Mont-Royal, un jeu impliquant un passant à qui on collait sur le front un carton sur lequel était écrit un mot qu'il devait trouver en posant des questions aux gens autour, en l'occurrence le mot « bizoune », ce qui faisait beaucoup rire vu l'allure un peu guindée de la vieille dame qui s'était fait prendre.

— S'en faire, ben… une attaque, man. Ben Laden, Bush, man, ça attaque, ça d'mande pas la permission à personne, man, ça envoye du monde à mort quand juste eux autres s'en sortent, man, juste pour leurs poches. Pourquoi ils ont l'droit d'leurs poches pis toi, pas l'tien d'la tienne, man ? Pourquoi t'as pas l'droit d'aller chercher « ton » pétrole pis « tes » commandites, man ? T'as l'esti d'droit toi aussi, man. Écoute ben : on va dire, man, qu'ton pétrole, man, c'est des smokes, OK ? Bush veut du pétrole, t'es plus raisonnable, tu veux des smokes, OK ? Ben, « Vas-y ! Fais-le pour toi », man. Va chercher tes smokes, man, fais ton cash toi aussi. C'est l'esti d'même patente de conception des droits d'l'Homme, man, pour toi aussi. T'es pas moins Homme que Bush, man. La terre est hot, tout le monde veut son bacon, man, l'pétrole, la religion, l'cash des Chinois qu'tout le monde s'met à genoux devant, les commandites de crosseurs, n'importe quoi, man, tout est bon, ça s'bourre partout, pis toi, t'es là avec ton quart de secondaire pis 2051 dans pas grand temps, man, quand y'aura plus assez d'monde icitte pour te torcher, man, pis qu't'auras pas d'cash pour te payer des hôpitaux arabes. On aura jamais d'cash, man, si on va pas l'chercher.

— Où ça, 'stie ?

— Dans not' Afghanistan, man, où c'qu'y'a not' pétrole, man : à Montréal en ville, chez King Chop Suey, man, ou n'importe quel esti d'Chinois, man, qui a des smokes pis l'cash que Bush veut aussi, man. On commence mollo, deux, trois dépanneurs chinois faciles, pis on passe au gros cash, à nos puits d'pétrole d'Irak, man, aux banques pis aux caisses pop ! de pourris, man. On va vous en faire, des POP ! mes tabarnacs. Comme Monica la Mitraille, man. As-tu vu ça, c'te film-là, man ? Capotant, man. Le nouveau duo dynamique frappera, yeah ! On va gagner, man !

— C'est pas des Chinois dans les dépanneurs, c'est des Coréens. T'es fou, 'stie. Tu veux pas apprendre l'italien à place ?

— T'as peur, man ? Tu chies ? La peur des tripes, man, c'est pas ça qu'tu voulais ? « Construire l'amitié ? » Y'a pas d'guerre par icitte, man, ils ont besoin d'toi pour aller les faire ailleurs, leurs guerres, pis faire brailler ta mère quand tu r'viens dans une caisse, esti. Pire, man : ils ont besoin d'ta mère qui s'fait sauter par Ben Laden, man, pour dire on va aller vous défendre, man. C'est ça, la mienne, ma réflexion à moi, man. Pis en attendant d'sauter dans l'métro avec un esti d'fou en sac à dos, man, tu risques d'sauter, man, sur un plancher d'aubergines pour du tip à huit piasses et trois d'l'heure, man, pour même pas un paquet d'smokes, qu'ils veulent pus que j'fume anyway, man. J'veux mourir comme j'veux, man. Dans mes poumons, pas dans l'métro ou sur des estis d'aubergines, man. Écoute ben, man, tu fais comme les Indiens : tu vends cinq piasses chaque tes six cents paquets d'smokes qu't'es allé chercher pour toi chez King Chop Suey, man, en trois minutes et demie. Trois mille piasses en trois minutes et demie, plus l'cash d'la caisse en passant, ça fait combien d'egg rolls, ça, man ? Han ? Combien ?… Fuck le calcul, man, ça s'appelle gros cash en esti. Notre invasion d'l'Irak à nous autres, man. Yeah, man !

— T'as pas faim, toi, 'stie ? J'ai faim, moi.

— Tu veux un chop suey, man ? On va s'en envoyer un, chop suey, man, on ira manger après, man.

Ils s'envoyèrent d'abord un autre pichet et des shooters pour souligner l'amitié naissante. Bertin n'était pas certain d'aboutir là où il avait voulu avec sa réflexion de sofa mais il commençait à voir double.

Et ils discutaient d'économie, de politique, de philosophie. Ça changeait.

Théo n'avait aucun dépanneur coréen particulier en tête. Il fallait surtout que ce fût là où ils n'étaient pas connus, et il conclut qu'il fallait sortir du parc industriel, où il n'y avait que des entrepôts, des industries, une brasserie et un dépanneur de jour. Et puis faudrait se rapprocher du métro pour la fuite, ils ne savaient ni l'un ni l'autre conduire. Bertin eut un éclair et lui demanda comment ils feraient avec six cents paquets de cigarettes dans le métro. Ou dans un taxi. Sans auto, c'était périlleux, presque impossible. Et puis faudrait bien les cacher. Dans leur chambre, chez leur mère ? Et puis à qui les vendre ? S'ils se contentaient de l'argent du dépanneur ? Il n'y en aurait jamais assez pour ses dix futurs enfants mais ce serait un début d'amitié. Ils trinquèrent à l'amitié, allèrent pisser ensemble, oublièrent un peu l'invasion de l'Irak pour s'impressionner mutuellement et décidèrent de se commander un autre pichet. Pour la route. Mais ils ne purent le terminer, notamment parce que la brasserie fermait à huit heures, et ils se retrouvèrent bientôt sur le trottoir, se demandant ensemble comment faire pour se rendre là où ils ne savaient pas au juste. Ils se mirent à zigzaguer côte à côte dans le parc industriel désactivé, en direction générale de la Corée, le long de la ligne d'autobus, se disant qu'il en passerait bien un, et que le premier Asiatique qu'ils rencontreraient ferait l'affaire pour le début de l'amitié. Ils se prirent par les épaules un instant, chambranlèrent et trébuchèrent ensemble.

La nuit tombait ; était tombée.

N'eussent été la rotation de la Terre et les lignes de trottoir qui leur sautaient au nez, ils auraient constaté une certaine animation dans le parc industriel. Des semi-remorques le traversaient, des équipes travaillaient derrière des fenêtres éclairées. Des gardiens veillaient. Ils longèrent du mieux qu'ils purent des pelouses corporatives, à peu près toutes pareilles, avec au milieu une allée qui menait à la porte principale des pourris. Invitantes, les pelouses : gazon frais coupé, moelleux, en pente douce ; ils y cédèrent à tour de rôle, l'un bientôt ramené debout par l'autre, qui rappelait une certaine urgence. Les gardiens veillaient. Et les nouveaux amis repartaient dans un sens ou dans l'autre, ils s'en souciaient peu. Un des deux parvint à dire qu'ils tournaient en rond, confondant les lumières de la voie élevée qui bornait le parc au nord, avec celles du centre-ville, au sud. Ils repartirent en direction contraire; puis ils virent des véhicules qui semblaient rouler à ras de terre, ce devait être une grande rue; puis ils virent que c'était une bretelle d'accès au Métropolitain, rien à voir avec le centre-ville; puis ils revinrent sur leurs pas, vers ce qu'ils croyaient être la rue des autobus et dont ils ne se rappelaient plus le nom; puis un des deux affirma qu'il n'y avait plus d'autobus à cette heure-ci et que le dépanneur du parc industriel ferait l'affaire pour l'amitié même s'il était fermé et même si le type qui l'opérait était loin d'être Chinois. Un peu Anglais, qu'il était. Suffisait de le trouver.

— Les Anglais nous cherchent, esti, man, on va les trouver, tabarnac !

Et ils se remirent à marcher. Théo énonça une stratégie : défoncer à l'arrière. Ils se contenteraient de quelques paquets de cigarettes et bouteilles. Pour la route. Quant à la fuite, ils verraient : le danger leur ferait bien trouver quelque chose. Ils s'approuvaient et se reprenaient par les épaules pour sceller le plan d'attaque lorsqu'une vision presque indubitablement réelle les cloua : au milieu d'une pelouse corporative, posée contre le bloc en granit au logo de la compagnie, une bouteille – ils s'approchèrent – de vodka. À moitié pleine. Ils regardèrent autour : personne en vue, aucune lumière dans l'immeuble. Ils se remirent en route, ou rebroussèrent chemin, avec la bouteille, se l'échangeant, se disant qu'ils n'étaient plus très loin du dépanneur. Qui était dans une partie du demi-sous-sol d'un édifice, à deux rues de l'entrepôt de fruits et légumes, dans la direction opposée à la brasserie. Mais voilà : où était l'entrepôt ? Ils n'y venaient que directement de l'arrêt d'autobus le matin, les yeux encore gommés, après avoir traversé le stationnement d'une manufacture de – ils ne savaient plus de quoi et s'en fichaient. Fallait retrouver la rue de l'autobus qui traversait le quartier, passait sous la voie élevée et continuait au nord. Où étaient-ils maintenant ? Ils connaissaient si peu ce coin de ville, les leurs, les coins, étaient loin... Coinloin coinloin coinloin, très très très, très loin. Si loin que Bertin s'arrêta, chancelant, bouteille à bout de bras, et s'estima heureux, très heureux, 'stie, de vivre ce moment, perdu, comme s'il était en pays étranger, sans repères, sans ressources, avec son chum, les deux s'échangeant une bouteille comme les soldats une cigarette au fond de la tranchée. Il plongea sur la pelouse corporative adjacente, suivi de Théo. Ils se prirent si bien par les épaules qu'ils en perdirent l'équilibre assis, roulèrent dans le gazon frais, s'arrêtèrent sur le dos, soudainement confortables, ne voyant plus d'intérêt au redressement, les yeux au ciel criblé de halos très brillants et diffus à la fois, qui tournaient en tous sens.

— Comme... des affaires, là... comment ç's'appelle, ça, man ?... dans 'é'ectric'té ?... tsé ?... qu'on voit jamais ?... esti, man, t'es ben soul, calvaire !... des 'tites affaires... qui tournent vite, là... comment c'est... l'nom ?... c'est toi, man, esti, l'phisolophe, man, qui sait toutte... Man... Esti...

— ’Stie… Man…

Deux policiers apparurent, prenant toute la place du ciel noir, si proches mais lointains, irréels et parlants, comme si les questions ne venaient pas d’eux.

*

Ils ne purent répondre avant le lendemain. À minuit, madame Lespérance, la mère de Bertin, avait commencé à s’inquiéter mais elle avait attendu deux heures avant d’appeler le 9-1-1. Il avait dix-sept ans, ce n’était pas son habitude de découcher. On avait pris le signalement et quelques détails concernant son quotidien. Elle ne connaissait pas Théo. Un gardien avait entretemps rapporté la présence de deux types couchés sur la pelouse de la compagnie. Ils ne bougeaient plus.

TOURNER À DROITE OU À GAUCHE

La jeune caissière de Bureau en Gros rigole avec deux employés, un gars et une fille de son âge, alors qu'un client attend avec ses achats, une boîte de mines et une caisse d'eau minérale. Les trois jeunes consultent un relevé, en font sortir un autre de la machine – la caissière, joues rouges, rire incertain, dit au client que ce ne sera pas bien bien long –, comparent, signent et contresignent un formulaire, le gars mime l'inquisition, le reportage d'Alexandre Dumas au téléjournal, le dépôt en preuve au Tribunal de la McJob – il jette un œil au client, sondant sa complicité :

— Miriam Saint-Onge, vous êtes formellement accusée d'avoir appuyé sur la touche *Enter* avec l'annulaire gauche. En conséquence de quoi, le Tribunal…

L'opération terminée, alors que ses deux collègues lui décochent une dernière salve d'opprobres en s'éloignant, Miriam, la caissière joyeusement émotionnée, explique au client qu'il reçoivent régulièrement la visite de clients-fantômes chargés par la compagnie d'éprouver la qualité du service, et que ces deux comiques-là venaient de lui faire croire qu'elle avait été prise en défaut.

— Ça pourrait être un client comme vous, par exemple, ajoute-t-elle.

Ils rient.

Elle prend la carte de crédit, la passe dans la fente du lecteur, cherche un sac sous le comptoir – le client dit qu'il n'en a pas besoin, il en a plus que plein pour le caca de son chien – et ajoute que là, maintenant, elle doit lui poser une question :

— Est-ce que vous avez trouvé tout ce que vous cherchiez – elle regarde la carte –, Monsieur Lespérance ?

Ils rient encore.

Voyant que monsieur Lespérance achète des mines, elle lui demande encore si un beau petit stylo en spécial au bout du comptoir ne l'intéresserait pas ; ou des crottes de fromage, peut-être ? pour accompagner son eau minérale ?

Nouveaux rires.

Elle dit qu'elle déteste aussi, comme cliente, se faire proposer un 6/49 avec ça, mais elle a des ordres, c'est une directive, pas une initiative personnelle. Elle redonne sa carte à monsieur Lespérance, l'informe que la date d'expiration approche – Big Brother le lui indique – et ajoute qu'elle-même expirera bientôt comme caissière. Elle prend un stylo en spécial et le tend à monsieur Lespérance pour qu'il signe le reçu. Elle dit qu'il peut le garder, le stylo, que c'est un cadeau de Ronald Bureau, le Gros de Markham, Ontario, Canada.

— Pour mon chien ?

— Rien de trop beau pour votre chien.

*

Peu après, Miriam et Caroline fumaient un joint dans l'auto de Miriam, dans un coin du stationnement du Bureau en Gros de Granby. C'était fin août, vendredi soir, neuf heures dix, elles venaient de terminer leur journée, l'avant-dernière pour Miriam, qui partait s'installer à Montréal le mardi suivant, tout près de l'université. La chambre serait spacieuse, sa fenêtre donnerait sur l'Oratoire, les colocataires lui avaient paru cool, tout était bleu pour l'instant. Mais elle s'ennuierait de Caroline, d'Éric, de Nicole ; et même du Directeur soutien aux affaires avec tâches temporaires de Directeur divisionnaire des ventes, Bertrand McDonald, le valet de Ronald Bureau, le Gros de Markham, Ontario, Canada – Caroline pouffa dans un éclat de boucane.

Trop cool, l'été qu'elles venaient de passer.

Le Directeur soutien aux affaires avec tâches temporaires de Directeur divisionnaire des ventes, *wannabe* Directeur général de succursale, s'appelait vraiment Bertrand Longpré – Pet-rance Long-pet, disait Éric. Elles le trouvaient d'un pathétique, avec sa moumoute, ses airs catastrophés, ses pep-talks bégayés, sa précipitation, ses déhanchements de marcheur athlétique, ses sandwichs au baloney, son bungalow à payer. Mais il les avait endurés, il avait fermé les yeux sur les rigolades, les gaffes, et elles avaient l'intention, le lendemain après la fermeture, de lui payer un beigne au Tim Hortons d'à côté. Rien qu'un, pas d'abus, parce qu'après, Miriam devait prendre la route. Un anniversaire de cousins à Racine. Des jumeaux, Phéphane et

Riri. Un tantinet orthos tous les deux. Elle aimait bien leur mère, sa marraine Gertrude, qui lui avait donné son cadeau d'anniversaire trois mois à l'avance, imagine, une corde à linge. Pour son logement de la grande ville. Une vraie corde, pour une vraie femme de vrai gars de vrai pick-up : testée treize cents livres, câble galvanisé à armature d'acier, poulie en zinc sur roulement à billes – Caroline pouffa encore. Parce que sa chère marraine Gertrude avait vu dans un téléroman une corde à linge chargée – du linge de pauvre – s'écraser dans une ruelle de Montréal. Elle s'était alors dit que, bien plus que des draps – que de toute façon sa belle-sœur Thérèse, la mère de Miriam, pouvait avoir à 40 % de rabais chez Sears, où elle travaillait à temps partiel –, la corde à linge de qualité campagne la distinguerait de toutes ses voisines à Montréal. Sauf que. Il y avait peu de ruelles dans Côte-des-Neiges, peu de voisines québécoises à épater, pas de corde à linge à installer. Mais, mais, mais, Miriam avait aussi reçu en complément de cadeau, imagine le succès, un huit onces d'huile à poulie, spécial roulement à billes – Caroline n'arrivait pas à allumer le prochain joint tellement elle riait.

— Mon parrain Réal travaillait au Ro-Na Minus de Valcourt, qui vient de fermer à cause de la concurrence des quinze Ronald Dépôt de Sherbrooke. Devine donc, toi, d'où c'est-y que ça vient, ma corde à linge et mon huit onces d'huile ? *Right,* ma belle : du stock en faillite du Ro-Na Puceron de Valcourt. Cheap épouvantable, ma marraine Gertrude. Je l'aime tellement. Là, Réal travaille au Home Dépôt, en pleine expansion et santé financière : fini les cadeaux de faillite pour Mimi. As-tu besoin d'une corde à linge testée treize cents livres ? d'un huit onces d'huile à poulie, spécial roulement à billes ?

Il était presque neuf heures trente. Elles avaient vu les plus zélés de leurs collègues partir après elles, et Bertrand fermait maintenant le magasin. Il les avait remarquées, elles en étaient sûres. Il craignait tellement les vols qu'une auto dans le stationnement désert n'avait pu que l'alarmer. Il fit semblant de rien et se dirigea, chargé de cartables, vers son Lincoln à l'autre bout. Il passerait probablement une partie de sa nuit à préparer le rapport mensuel destiné à Markham.

— Bon gars, bon pitou. Deux beignes pour le bon Pet-rance, un pour apporter – Caroline s'étouffa, dit que ce n'était pas gentil pour un bon gars, et ouvrit un peu plus grand la fenêtre.

Comme elles ne savaient trop quoi faire, elles restèrent là à écouter la ligne ouverte à la radio, à rire et à fumer. Le trafic était constant sur les six voies de la 112, qui devenait la Principale à son entrée en ville. Miriam se demanda encore si elle avait pris la bonne décision de laisser l'auto à sa sœur pendant ses études à Montréal. Si près de l'université, lui avaient dit les colocs, tout se faisait à pied. Et elle sauverait sa tonne de rejects à Fetzer, elle n'aurait même pas à se taper les retards en commun pour y arriver.

— Les rejects à qui ?

— Fetzer. Fetzer et ses gaz. T'as jamais entendu Paul Martin perler des pets de son chum, Effet de Serre ? Le cousin d'Omer, probablement.

On ne pouvait pas être contre la tarte aux pommes et ne pas avoir à cœur la nature et ses légumes, mais elle était bien dans son auto, à maintenir la santé de la pollution. Il pleuvassait maintenant, elle aimait le chuintement des pneus sur l'asphalte mouillé, le scintillement des phares sur les carrosseries dans la nuit des enseignes, le rugissement d'un moteur rincé sur un coin de rue par un casque à palette. Un du genre qui s'impatiente, qui force sa chance et la rouge, qui zigzague.

Qui percute, ça peut arriver, mais fallait être malchanceux pour se trouver dans la trajectoire. Ou être à pied.

Elles virent justement un piéton sur le trottoir derrière les arbustes malingres qui bordaient le stationnement. Qui s'en allait où comme ça avec ses skis ? – elles se le demandèrent dans de tels éclats de rire que le piéton chercha d'où ça venait – il n'y avait par là, à la sortie de la ville, que des Club Piscine Patio Price Élégance Chrysler Auto Centre Toyota Suprême Dodge Concept Mazda Nissan Fitness Dépôt Animal Tapis Dépôt Matelas Galerie Confort Carpette A-1 Gougoune Dépôt Village des Dollars Valeurs Dépôt Aubaines En Folie Spécialités C'Pas Cher Maxi Big Extra Ben Bedaine Super Grosse Korvette – elles riaient tellement.

Rien à skier à cette heure-là par là.

— Hon ! On va au dépanneur, on s'achète un lait au chocolat, on se plante à côté de la caisse, on se pogne le paquet, on regarde les gars.

— Dessine-moi un motton.

— On attend d'être toutes seules avec le Coréen…

— C'est à Montréal, les Coréens.

— … on sort nos limes à ongles, on fait sa caisse, on se pousse à genoux au Pérou trouver Bush Laden et Fils…

— Non, ça, là, Miriam, c'est pas cool, c'est pas classe une miette, c'est pas digne d'une universitaire, on n'est pas des ti-counes, faut pas niaiser le pauvre monde. Ma matante Yvonne a élevé quatre enfants dans un dépanneur. C'est comme pour Bertrand, pauvre Ti-Pet, il doit bien gagner sa vie de pauvre gars. Et puis Ben Laden est pas au Pérou, il est dans un trou de souris en *Sas-ka-tche-wannnn...*

— *... t'as volé ma femme !*

— Bien sûr !

— Je fais ça à quel nom ?

Puis.

Ce n'était pas tout.

Qu'est-ce qu'elles pourraient bien faire ?

Comme la police était du genre à venir jeter un œil dans le stationnement, elles pourraient peut-être faire bouger l'auto.

Et quand une auto bougeait, elle allait quelque part.

Mais où ?

Par là, immédiatement à droite, manœuvre aisée : c'était les bars de la périphérie sur la 112 ; par là, à gauche, manœuvre périlleuse – impliquant la traversée des trois voies et l'attente au milieu, tête et cul en proie aux voies rapides des deux sens : c'était les bars du centre-ville.

Miriam démarra, on verra bien, et fit ce qu'il fallait pour les mener à la sortie, quelques dizaines de mètres plus loin en terrain dégagé, bon début, du stationnement.

Vers Granby, c'était d'abord attendre l'éclaircie à gauche, mais le trafic était dense venant de la ville et ce n'était pas tout : faudrait traverser perpendiculairement les trois voies et attendre au milieu l'éclaircie à droite, tête et cul en proie…

— Me semble que ça fait deux fois qu'on dit ça…

— Fort probablement, car ce n'est pas de l'onguent !

Bref, le centre-gauche en ville, à gauche, forcément, c'était, pour l'instant, au-dessus des forces de Miriam, qui décida de virer immédiatement à droite en sortant.

Du stationnement.

C'était super plus simple. Pour l'instant.

Elle quitta un peu sa tête et revint un peu sur la route : elles roulaient un peu au milieu des autos. La voie de droite semblait plus sympathique, pas encombrée, elle s'y tassa sans problème et y resta – appel de phares – tranquillement pas vite jusqu'à bien dépassé la ville – nouvel appel de phares.

Ah oui, les phares.

Elle alluma les phares.

Elles riaient, le gars de la radio était drôle, il passait de la bonne musique, elles chantaient…

Heille si le dément démantèlement t'excite tellement
Que c'est comme de la musique à tes oreilles
Comment t'aimes le tintamarre des barbares, dans tes tympans d'avare hagard ?
FACE À LA MENACE DE LA BRADERIE ON BRANDIT
LE POING DE LA PATRIE À LA FACE DES BANDITS
LIBÉREZ-NOUS DES LIBÉRAUX !
J'te l'dis carré, catégorique…

— Hon ! j'tai pas dit, j'ai commencé mes cours d'italien : machaba larodalama ?

— Bachala ro latagra dama.

— Ouma no latagra dama ! ?

— Si !

— Car avec, on va à Paris !

Elles arrivaient déjà au panneau annonçant le Bar Bouvillon, à Saint-Paul-d'Abbotsford, et Miriam décréta qu'il était temps ou de rebrousser chemin ou de continuer. Un des deux.

— Rebroussons, envoye donc ! Drôle de mot... Ça veut-tu dire qu'il faut brousser avant de rebrousser ? Broussions-nous jusqu'alors ? Reprenons donc un peu de brousse. Direction : Granby, Nottinghamshire, England. Nous y serons avant l'aube.

Et Miriam fit illico demi-tour. Un semi-remorque les évita en tonitruant – le chauffeur avait l'expérience des vendredis soirs à la campagne, aux abords des villes et villages.

— On va jouer aux quilles !

— Hon ! Riche idée, capitaine ! Cool ! Allons se nous faire cruiser, participantes et consentantes, dans le jus de pied loué ! Un peu d'exercice nous fera le plus grand bien.

— Allons-y ! Faisons-le pour nous !

Elles n'avaient plus rien à fumer. Elles y pensèrent, puis n'y pensèrent plus.

Une fois rendues dans le salon bondé – drôle de mot : ma chère, montons donc au salon lancer ces boules – devant l'allée du fond, la seule de libre, ce n'était plus aussi comique. Vendredi était soir de ligues, plein de parties sérieuses se déroulaient, aucun prospect n'était en vue, elles ne faisaient l'objet d'aucune autre œillade que celles, deux allées plus loin, d'un enveloppé qui jouait mal, qui s'en consolait avec chips et Mountain Dew, s'essuyant les doigts aux aisselles de sa chemisette aux couleurs de son équipe, les Vélos de Waterloo. Elles jouèrent leurs trois parties, plus vraiment émoustillées, forçant la rigolade, singeant les professionnels de la télé, lançant leur boule ensemble, falsifiant grossièrement les scores. Même la corde à linge testée treize cents livres de la marraine Gertrude ne leur fit plus d'effet. Elles s'épuisèrent, il était tard pour un lendemain au travail, elles rirent encore un petit coup en se reniflant les bas libérés des souliers loués…

— *Face à la menace de la puerie on brandit le joint…*

— N'en a plus, le joint.

— *Libérez-nous des Libéraux !*

Elles décidèrent d'un coucouche panier, sagement. Elles s'étaient bien amusées.

*

Un groupe de quatre personnes entoure une jeune fille en fauteuil roulant à la porte de l'hôpital. On devine qu'il s'agit du père, de la mère, de deux sœurs. La jeune fille fixe le vide, médicamentée, emprisonnée dans un corset cervical, bras plâtré, jambe attelée, des pansements un peu partout. La mère s'éloigne et compose un numéro sur son cellulaire.

— Allo ? Gertrude ? C'est Thérèse. (…) J'ai des mauvaises nouvelles. Miriam est à l'hôpital, elle a eu un accident avec son amie Caroline hier soir. Un gars gelé qui a pas fait son stop, tout probable. On sait pas encore au juste. Le char est pas mal scrap. Caroline est correct, ils veulent garder Miriam jusqu'à mercredi. Au moins. Parce qu'elle a le thorax enfoncé, des côtes cassées. C'est au ras les poumons, comprends-tu, ils prennent pas de chance. Avec le cou non plus, ils veulent rien risquer. Elle a aussi une jambe fêlée, un bras cassé, mais ça, c'est le moins pire. On est tous là, ça fait que pour nous autres, à soir, le party, tu comprends qu'on y sera pas...

Elle s'arrête brusquement pour écouter Gertrude. Elle réagit aussitôt, comme si elle venait de se faire rappeler quelque chose de super important :

— Ah oui ! le dessert...

— (...)

— Oui, je devais apporter les pommes aussi, mais des pommes, ça, c'est pas un problème, vous irez en chercher à Valcourt. Ou Geneviève en achètera en passant...

— (...)

— Ben non, Gertrude, j'ai pas encore le dessert, voyons...

— (...)

— Mais, parce que je voulais aller chez Super C à matin faire faire deux gâteaux...

— (...)

— ... avec Stéphane et Richard écrit dessus. Mais là, tu comprends que j'ai pas pu, Gertrude... C'est arrivé hier soir, on a passé la nuit à l'hôpital, c'était comme pas le moment à matin...

— (...)

— Écoute, Gertrude, c'est pas un problème, vraiment. Je vais appeler Geneviève pour qu'elle s'occupe du dessert. Vous en aurez, fais-toi en pas...

— (…)

— Non, je le sais bien, Gertrude, on fête pas une fête avec du Jell-O. Au forçail, il y a la pâtisserie à Valcourt…

— (…)

— Non, c'est pas des beaux gâteaux comme au Super C, mais c'est mieux que rien…

— (…)

— Ben, ils auront ce que Geneviève trouvera, Gertrude, je m'excuse, ça arrive, ces choses-là… Veux-tu que je dise à Miriam que tu penses à elle ?

NIAISE-MOI PAS

Fred, fesse posée sur le coin de son bureau, jambe impatiente, poing au flanc, main pianotant sur le bois vitrifié, un œil sur sa Patek Philippe Grande Complication, l'autre sur son agenda, écoutait Bertin qui s'agitait dans un des fauteuils de visiteurs.

— Le char attend au feu rouge, OK ? La conductrice est une fille dans la jeune vingtaine. La passagère est une petite vieille. Tout juste si on lui voit la tête, OK ? À l'arrière, un vrai vieux aux cheveux blancs…

— Attends, attends, attends… C'est pas des boomers, là, tu parles de vrais grands-parents ? La vieille est aussi vieille que le vieux, avec cheveux blancs ? Une granny à biscuits ?

— Une granny, oui, une femme du temps que les familles étaient normales, OK ? Le vieux parle. Il avance, il penche la tête entre les deux sièges à l'avant pour mieux voir à travers le pare-brise, OK ? On est à une intersection en T ouverte…

— Ouverte ?

— Oui. La rue arrête là, mais c'est une Frost qui la bloque, pas un mur, OK ? On peut voir plus loin, à travers. Des fois, on voit plus loin que son hostie d'bout de nez, même quand on est dans une impasse. *Anyway.* OK ? Et plus loin, de l'autre bord de la clôture, OK ? ça ressemble à un port. Une section de port, mettons, où se trouve un complexe d'entrepôts, de bâtiments. Quelque chose d'un genre gothico-industriel, à moitié démoli, OK ? avec devant une rampe arquée, décrépie. Qui est là, OK ? pour rien, on dirait.

— Pourquoi ?

— Pourquoi quoi ?

— Pourquoi la rampe qui sert à rien ?

— C'était là, c'est ça. C'est symbolique, mettons : on monte, il n'y a rien en haut, on redescend, OK ?...

— La vie ?

— OK : la vie. Mettons. Si tu veux. La chienne de vie, OK. Les nuages défilent en accéléré dans le ciel gris...

— Le temps ?

— Oui.

— Quoi oui ? Je veux dire, quel temps il fait ? Ça va dans ta vie ?

— Je te l'ai dit : gris, nuageux. On présume que plus tard, il va faire beau. Ça passe, le mauvais temps, les mauvais jours. Ça passe. Oui, ça va. Pourquoi ? Ça va très bien, dans ma vie, très très bien, je fais ce que je veux, OK ? quand je le veux, je vais où je veux, avec qui je veux... Donc, OK ? il y a le complexe d'entrepôts déconcrissés, un peu menaçants, la rampe inutile, d'autres constructions à gauche et à droite, un début de chantier, un trou, une grue, un bull, toute la patente. En arrière-plan, OK ? rien. Un bout de fleuve.

— Un bout de fleuve ? Comment tu peux voir le fleuve si loin d'un angle comme celui-là, Bertin, avec les entrepôts devant ? Et puis on est sur un coin de rue, au niveau de la portière du char, OK ? Tu m'as dit, OK ? que la tête de la vieille, OK ? dépassait à peine.

— Niaise-moi pas, Fred, OK ? Niaise pas. On voit le fleuve, c'est tout. On arrangera, OK ? Le fleuve était là, je l'ai vu. Il y en a qui rêvent que John Wayne joue merveilleusement du bassin au Pôle Nord, moi je rêve d'un bout de fleuve entre des entrepôts à travers une Frost, OK ? C'est pas plus bête, OK ? Bon. Le feu est toujours rouge. Dans le char, OK ? le vieux s'agite de plus en plus. Il montre du doigt la rampe…

— Ou les entrepôts qui seront remplacés par de la maison urbaine…

— Non. Il suit le tracé de la rampe, OK ?

— La rampe qui mène à rien, qui monte, qui redescend…

— Oui. C'est la rampe qui l'intéresse. On voit qu'il la décrit, OK ? Il se demande, il essaie de se rappeler, main sur la bouche, OK ? comme les vieux font…

— J'ai mieux : il sort la langue, comme un flo concentré au max, on fait le lien avec la vieillesse. On pourrait même en mettre un, flo, à côté du vieux.

— Pas d'enfant.

— Pas de flo ? Tu veux faire de l'immobilier familial avec pas de flo ? Deux vieux, une jeune, pas de mari, pas de flo ?

— On peut faire de l'immobilier familial sans enfant, on peut innover, on peut faire bien des choses sans enfant, OK ? Super plus sans qu'avec, si tu veux mon avis, on n'a pas absolument absolument absolument besoin d'un enfant dans une maison. On a-tu absolument besoin d'un mari ? Han ?… Bon.

— Continue. La fille et la vieille, elles, pendant que le vieux trippe sur sa rampe ?

— Elles regardent en avant. La fille est allumée. La vieille est comme loin, dans ses pensées, OK ? Tout à coup, OK ? le vieux a l'air de retrouver quelque chose. Il se met à expliquer comment c'était avant, OK ? On devine qu'il travaillait là. Il montre avec le doigt, OK ? comment les marchandises circulaient…

— Sur la rampe…

— Sur la rampe.

— Sur la rampe inutile ?

— Peut-être qu'elle l'était pas avant. C'est comme les pères, le concept de père, ça a pas toujours été inutile.

— Bon. La fille et la vieille ?

— Attends. Le feu passe au vert. La fille tourne à droite.

— À droite. C'est important ? C'est « symbolique » ?

— À droite, à gauche… C'est un sens unique, en tout cas.

— Comme la vie ?

— C'est ça. Oui, c'est ça. J'y avais pas pensé mais c'est en plein ça : comme la chienne de vie, hostie, on gagne pas. Donc, c'est vert. Le char roule le long de la Frost, OK ? Le vieux se retourne, se met à genoux sur la banquette, OK ? il continue à regarder les entrepôts…

— Et la rampe…

— … et la rampe par la vitre arrière. Le char disparaît au loin.

— C'est tout ? C'est le concept ?

— C'est à peu près ça.

— La fille est quel genre ?

— Normale. Jeune. Encore drôle. Pas d'enfant.

— L'accroche ?

— Quoi, l'accroche ?

— « Quoi, l'accroche ? » Tu veux rire ? On a quinze secondes, Bertin. T'as même pas de *morphing* pour au moins transformer tes entrepôts en maisons urbaines.

— C'est une vision ouverte, comme à travers la Frost, OK ? On voit ce qu'on veut.

— Ben voyons, Bertin. Tes visions, tu te branles avec, on veut rien savoir de ça. Et puis, les problèmes que je vois dans le concept, pour de l'immobilier, c'est que, *firsto,* tu veux des vieux mais c'est pas de la maison de retraite qu'on a à faire ni du condo préarrangements. *Secondo,* une fille sansmarisansflo, ça passe mal. *Thirdo,* ton milieu de vie fait peur, avec tes entrepôts tout croches, tes moitiés de constructions, ton fond de cour à scrap. Non, moi, tout de suite, je vois de l'électoral là-dedans. Dès qu'on a un compte, on travaille ça. Suis-moi : un char rouillé, la fille qui fume, poquée, pognée à vingt ans pas de mari avec un morveux, les vieux mal habillés, d'immenses nids-de-poule dans la rue, un camion de vidanges qui boucane, les entrepôts avec du linge aux fenêtres, des genres de squats… L'opposition va acheter…

— Quoi quoi quoi, de l'électoral ? Tu veux m'achever ?

— Ben… ce serait pour quoi, d'abord, ton concept déprimant, avec deux vieux et une jeune qui attendent la verte, dans un char, une journée grise, sur un coin de rue sale ? Du parfum ? Du ski ? Fais-le pour toi ? Si la vie vous intéresse ? Du char, à la limite… On joue la sécurité : on met la vieille au volant, qui manœuvre si bien grâce à la maniabilité du modèle X qu'elle sauve la famille d'une attaque de punks dans un fond de cour genre Bronx... Oui, ça serait pas mal. Encore là, ça dépendrait du modèle : faudrait vendre un moulin à coudre, pas un Hummer. Et puis faudrait aussi un flo, et comme tu veux pas de flo... Pour de l'électoral, le flo pourrait regarder l'avenir sur un cell pendant que les vieux regardent les vieux entrepôts décrépis du passé... Parce que, oui... je l'ai, c'est ça ! c'est ça qui va pas, c'est ça le bug dans ton affaire : c'est de l'arrière-grand-parent que tu décris là, mon chum ! Suis-moi : on remplace la vieille par celle qui manque dans ton portrait : la mère de la conductrice, la boomer, la fille des vieux. Avec le flo derrière, son petit-fils, et sa fille qui conduit, on a quatre générations. On peut vendre n'importe quoi avec un casting comme celui-là. Parce que, *anyway,* on peut pas mettre cinq personnes dans un char, il y en a une de trop ou deux qui manquent : le mari de la fille et son père...

— Ben non. Ils manquent pas. Ils travaillent, hostie ! Pour leur famille, tabarnac ! Ça existe encore, des pères, de nos jours. Y a pas rien que des casques à palette irresponsables, ou des casques de bain divorcés, ou des ti-counes perchés au-dessus des ponts.

— Et puis, ta vieille, dans ton concept, elle a comme pas rapport... « Loin dans ses pensées... » Ils sont toujours loin dans leurs pensées, à ces âges-là. Ce serait plus mielleux sans elle, plus *human interest* envers le vieux, maintenant seul dans la vie, tatata... Inutile, ta vieille. Comme la rampe. Au moins la rampe est *trend.* Visuellement conceptuelle.

— Je veux ma vieille, Fred, OK ? je le vois comme ça. J'y pense depuis trois semaines, OK ? Exactement dix-neuf jours. C'est le concept. Le vieux est là, OK ? qui explique sa fierté d'avoir ramené le beurre sur la table, sué pour sa famille, OK ? mangé au-dessus de sa boîte à lunch, OK ? au port pendant que sa femme, la vieille, se rappelle la maison pleine d'enfants, la soupe – pas la soupe en boîte ou de chez l'hostie d'traiteur à quatre piasses et demie la tasse d'expresso, là, une vraie soupe – qui mijote, OK ?... La visite du dimanche, l'assiette de gâteaux, le plateau de liqueurs... La machine à laver dans la cuisine, le chien, les chats, les cris, la corde à linge au-dessus de la ruelle le lundi, je sais plus quoi encore. Peut-être même qu'ils habitaient dans le coin... T'sé, OK ? les bonnes vieilles familles, quand la femme, hostie, restait à la maison pour élever les enfants dans un quatre et demi de triplex ? Tu vois ce que je veux dire ?... Ta mère ? Ta mère, à Outremont, elle, Fred, elle travaillait pour quelqu'un d'autre que ses enfants, ta mère ? Ça lui aurait passé par l'hostie d'caboche, à ta mère, de travailler trente heures par jour pour monsieur Remax ? Elle s'est poussée avec toi, ta mère ? Une fa-mil-le... FA-MIL-LE. Ben, Fred, la famille, là, hein ? la famille : basta, la famille ! OK ? OK ? : ben écœuré, ton Bertin, mon Fred, de vendre la famille dans les hosties d'pubs, avec des enfants, un chien... Il n'y en a plus de famille, Fred ? ben on n'en montre plus de famille, Fred ! Finie la famille, Fred. En connais-tu, toi, Fred, une famille ?

— OK, OK... J'ai une autre idée... de l'électoral... ou du sociétal... Suis-moi : je te laisse tes vieux, tu me donnes un flo un peu triste dans le fond de la banquette à côté de son arrière-grand-père. On garde ton décor, le port, l'entrepôt, tout ça. Même point de vue sur le char. Pas trop vieux, le char, mais qu'il faudrait changer. On garde aussi ta fille de vingt-cinq ans, mais en tailleur, qui conduit, qui consulte son BlackBerry, porte-documents bourré à côté d'elle, des papiers partout... On veut dire : voilà où nous ont mené les politiques sociales du parti *whatever,* voilà les effets de quatre années de pouvoir incompétent, le stress, le cumul des tâches, le mal-vivre chez ces jeunes femmes actives, ces *superwomen* du double emploi, qui travaillent comme des caves, qui s'occupent en plus de leurs grands-parents, ces bons vieux bâtisseurs du Québec – donc, tu gardes tes vieux –, qui traînent en plus leur fils – tu m'accordes un flo –, ces jours de grève en garderie ou *whatever*... Je te le dis, l'opposition va acheter ça, sinon un syndicat...

— OK, OK, OK, OK, Fred, OK, hostie... Une *superwoman,* hostie, qui se pousse avec le p'tit, en tailleur, talons hauts, tabarnac, genre agent immobilier femelle – c'est ça que tu vois ? c'est un hasard ? c'est un maudit hasard, ça, Fred ? Myriam t'a parlé, Fred ? Vous êtes allés luncher aux crisses de sushis, Fred ? –, qui sacre son camp avec le p'tit dans son gros char, c'est ça ? faire ses christis d'visites libres avec son p'tit pour attendrir la clientèle-famille, hein ? Et quand on est débordée, qu'est-ce qu'on fait avec le p'tit le matin, hein, Fred ? Elle te l'a dit ? On le dompe à la porte de son école, dehors, OK ? dehors, à sept heures et demie du mat', OK ? parce qu'on a une câliboire de saint-simonac de maison à vendre dans le West Island, OK ? C'est ça ? *No way,* Fred, que tu vas faire de l'électoro-sociétal ou *whatever* avec ça, OK ? Parce que, y'avait pas de problème social là-dedans... le mari absent qui s'occupe, style, pas de son p'tit, OK ? Tu te mêles pas de ça. *No way. Over my dead body.* On va faire quoi, Fred, avec ça ? On va faire, OK ? du bon vieux char avec ça, de l'Audi, plus précisément, de l'A4, gris métallique. On l'a, le compte Audi ? c'est ça qu'ils vont avoir, hostie, comme concept, genre : « L'automobile préférée des agents immobiliers femelles », OK ? qui se poussent avec les p'tits dans leur christi d'Audi, OK ? C'est mieux ? T'aimes mieux ça ? J'ai des lignes : « Vendez vos condos avec style, dans le meilleur confort. » « Un habitacle de grande qualité, une meilleure qualité de vente de condos. » « Faites de chaque vente de condos un événement mémorable. » N'importe quoi. N'IM-POR-TE-QUOI, la pub ?... Ben d'accord avec toi, Fred. Plus, OK ? plus n'importe quoi encore : on va mettre là-dessus, OK ? la chanson d'un vieux que l'agent immobilier femelle aime particulièrement... « Quand on vend, on a toujours vingt ans... » « Je me fous du monde entier quand mon Audi me ramène dans le quartier de mes grosses ventes... » Tu vois ?

— Je continue à pas tout à fait comprendre... Qu'est-ce que tu racontes ?

— Je raconte, OK ? je raconte, hostie, que je veux ma rampe. Je raconte que je veux mes entrepôts. Je raconte que je veux mes vieux. Je veux pas d'enfant. J'en ai jamais voulu. C'est ça qu'elle t'a raconté, Fred ? Hein ? C'est ça ? Niaise-moi pas toi non plus.

— As-tu eu d'autres visions, Bertin ? Veux-tu une semaine de vacances ?

LE GROS HOMME QUI PLEURE

Une femme et un homme déjeunent dans un café Van Houtte. Il y a une table libre juste là mais ils copinent avec un homme assis plus loin, qui lit le *Journal de Montréal*. Les deux hommes parlent golf. La femme est très arrangée, d'un chic à bijoux. Elle porte un tailleur et un chemisier aux teintes claires. Son vison est rejeté sur le dossier. Elle a gardé son chapeau, de la même fourrure, et se tient de côté, les jambes jointes en biais. Elle a un sourire publicitaire, mange ses toasts du bout des dents, se tamponne les coins de bouche avec sa serviette de papier, lance des yeux d'ingénue à l'homme au journal – qui se demande comment s'appelle donc déjà l'animatrice américaine à qui la femme lui fait penser. À une table près de la fenêtre, sur la banquette qui longe le mur décoré de patrimoine, un homme d'une cinquantaine d'années feuillette un livre. Il comprend que l'homme en compagnie de l'animatrice américaine est son mari, qu'il est un habitué du café et qu'il y rencontre souvent l'homme au journal. Il apprend aussi, l'homme au livre, que madame Saint-Laurent est venue la veille faire son tour. L'animatrice américaine ne le savait pas, son mari ne le lui avait pas dit, il avait oublié – le mari et l'homme au journal se regardent et se comprennent. L'animatrice s'étonne de cet oubli à son endroit étant donné que, mais bon, et elle montre que madame Saint-Laurent ne l'émeut pas plus qu'il faut. Les deux hommes lui précisent que celle-ci est en très grande forme. Ils ne savaient cependant pas qu'elle venait d'être opérée. L'animatrice américaine n'est pas surprise que madame Saint-Laurent ne le claironne pas et elle pointe son œil avec son index – l'homme au livre se demande si elle ne pointe pas plutôt sa tempe. Cataractes ? Ou bien... en dedans ? demande l'homme au journal, qui lance un clin d'œil au mari. Ils rient. Ah oui, en très grande forme, la madame Saint-Laurent ! L'homme revient à son *Journal de Montréal,* continue à rire sous cape, pendant que l'animatrice américaine regarde ailleurs – les assiettes qui décorent le mur derrière la banquette, par exemple, ou le drôle de titre du livre de l'homme au livre, *Le Bon Usage*.

*

Bertin Lespérance avait l'habitude, beau temps mauvais temps, de passer les matinées de semaine au Van Houtte de l'avenue du Mont-Royal. Le café n'y était pas vraiment de son goût mais on le lui servait sitôt assis, et un *Journal de Montréal* semblait lui être réservé, quelle que soit l'heure. Il n'avait rien demandé. Ça remontait à six mois, un jour très froid qu'il était à une table près de la porte et qu'il regardait les gens se presser dehors, encourageant d'une parole ceux qui entraient. Le nouveau gérant était venu lui porter un journal et lui avait offert de réchauffer son café. Le traitement s'était répété le lendemain – il avait même eu l'impression que la table de la veille lui avait été gardée par une employée qui s'était levée à son arrivée –, et les fois d'après, avec encore plus de sollicitude lorsqu'il avait sauté quelques jours. Il avait compris depuis : un cercle – peu de femmes – s'était formé autour de lui, dans le coin à l'avant du café : désœuvrés, saisonniers, autonomes, cols bleus, chômeurs, retraités, assistés, rentiers, mal payés en pause ; mal lunés, beaux parleurs, râleurs, étalant leur âme ou surtout pas, de temps à autre, tous les matins, des heures et des heures, quelques minutes. Il était particulièrement de connivence avec un type, à la retraite aussi, dont il venait à peine de connaître le patronyme : Clavette – Omer, ça il savait depuis qu'ils s'étaient surpris à lire la même page de golf à des tables contiguës, quelque part après les fêtes. Au fil des jours, toujours chacun à sa table, ils avaient jasé de hockey et de la façon de s'y prendre pour gagner la vingt-cinquième ; de baseballsansavenir ; des talk-shows américains de fin de soirée ; des placements qui rapportaient – particulièrement aux femmes d'Omer, disait Omer ; des enquêtes tonitruantes du *Journal de Montréal* et de ses photos à la une ; de l'international lorsqu'il y avait scandale, tuerie, génocide, famine, massacre – pas vraiment de politique, et avec mesure : ils s'étaient vite rendus compte qu'ils n'étaient pas de même religion. Et des clients à proximité s'étaient joints à leurs échanges, puisqu'ils étaient publics, assurant jugements, rumeurs, lieux communs, bientôt colportés de l'avant à l'arrière de la salle entre autres par Nicole, une employée délurée chargée du débarrassage des tables, qui parlait et riait fort, qui distribuait bons mots et sourires, qui relançait tel ou tel sujet auprès d'une autre tablée, d'une autre bande de farceurs dans le coin des fumeurs ; lesquels autres farceurs et tablées ne manquaient pas, sur le coup ou les jours suivants, de se rapprocher du cercle à l'avant du café, ou de carrément l'intégrer ; et comme Bertin avait une bonne figure de bouledogue, qu'il avait le bagout pince-sans-rire du vendeur à commission et qu'il était assidu comme une taxe, il était devenu, comme partout où il passait, le pôle de l'endroit.

Bien sûr, de temps à autre, par anicroche, hasard ou inconscience, plongé dans un livre, boudant la convivialité, ignorant les débats, aboutissait dans leur coin un snob, un désabusé, un solitaire, un touriste, ou autre étrange. On ne pouvait rien y faire, monsieur Van Houtte avait pignon sur rue, mais il n'était pas chez lui. Ainsi dernièrement, un matin de giboulées, ces deux jumelles dans la soixantaine réchappée, très pareillement peintes, habillées, enjolivées. Bertin, Omer et Conrad parlaient de la date limite des transactions et de la décision qu'aurait à prendre Houle au sujet des sans-cœur quand ils s'étaient interrompus de concert : les deux arrivantes, après s'être ébrouées et avoir tout ramassé sur leur passage, se dénippaient maintenant ostensiblement, pliant et déposant avec grand soin sur la banquette du fond manteau, chapeau, écharpe, gants, en échangeant des propos scabreux sur les membres de leur famille. Elles s'étaient ensuite assises côte à côte et s'étaient tues. Bertin leur avait suggéré d'aller commander au comptoir si elles étaient là pour consommer. Elles l'avaient remercié de la tête, pincées, synchronisées, avaient chacune tiré le même *Reader's*

Digest de leur sacoche et s'étaient mises à tourner les pages, trop désintéressées. Omer avait alors ressorti l'anecdote du temps qu'il était cuisinier chez Canadair. C'était un midi. Il transportait des boîtes au milieu de la cohue, comprends-tu, ne voyant pas du tout où il allait. Il connaissait très bien sa cuisine, mais figure-toi qu'on avait déposé l'énorme marmite de sauce à spag en plein milieu de l'allée pour ajuster quelque chose à la cuisinière. Il avait buté contre la marmite, sans jokes, et basculé, fouille-moi comment, cul premier dans la sauce bouillante.

— Brûlures au deuxième degré, ambulance, urgence, pas de farces, CSST pour six mois. Tiens, veux-tu me voir les fesses ? Mesdemoiselles, tournez-vous ou approchez, ça vous coûtera rien.

Les jumelles, absorbées par leur lecture, mais aux aguets, n'avaient pu retenir un sourire et s'étaient remises à tourner les pages. Puis Bertin avait déboutonné son jeans et relevé sa chemise pour montrer, puisqu'on était en famille, la tache velue qui lui grugeait la hanche depuis des années... Ha ! chiure de mouche comparé à la griffée qu'un jig avait laissée à l'aine de Conrad du temps qu'il était morutier à Paspépiac.

— M'en vas te vous montrer ça. Sauf votre respect, Mesdemoiselles.

La ceinture était à peine débouclée que les jumelles se levaient, s'habillaient et prenaient la porte. Omer avait immédiatement dit que les courses, ça ne se faisait pas tout seul, et il était parti à leur suite, en remontant la rue de Lanaudière.

Quelles courses par là ? s'était demandé en riant Bertin, qui commençait à connaître Omer.

*

Le matin du Vendredi saint est ensoleillé, mais venteux et froid, ce qui pourrait expliquer que le café Van Houtte, coin Mont-Royal et de Lanaudière, est plutôt désert. Omer Clavette déjeune côte à côte avec une femme, la sienne, quelques tables plus loin que celle de Bertin Lespérance. Les deux hommes parlent ensemble, malgré la distance, de leur handicap au golf, des parcours qu'ils fréquentent – Bertin annonce que, ouais, de l'hiver, il en a plein son casque, l'an prochain, bonsoir il sera parti, le voici le voilà, à lui la Florida où se pousse la petite balle à l'année –, du terrain de type écossais que l'on projette de construire à Montréal. C'est la première fois que Bertin voit la femme d'Omer, Jeannine. Elle est maquillée avec goût, vraiment, il est conquis, et ses bijoux sont assortis à l'ensemble aux teintes printanières, pimpantes, pour Pâques probablement. Son vison est soyeux – Bertin connaît le domaine, il a longtemps été représentant en magazines de mode, il n'y a que les Américains pour offrir pareille qualité, ce n'est pas *local,* ça –, il a glissé du dossier et traîne un peu par terre. Bertin se lève, le replace, ça fleure la lavande, il lit l'étiquette sur la doublure : Macy's. Il s'en doutait bien. Elle a gardé son chapeau, une toque du même animal, et se tient en dame, les jambes jointes en biais – on ne voit plus cette féminité chez les jeunes, se dit Bertin. Son sourire est irrésistible, elle bat des cils, joue de la prunelle, rit avec pudeur, tête gracieusement inclinée sur l'épaule, dentition impeccable, aux bons mots de Bertin, qui se rappelle soudain à qui Jeannine lui fait penser :

Joan Rivers. Elle prend finalement la parole – qu'elle leur a trop laissée, ajoute-t-elle, coquine : Omer lui a en long et en large parlé d'un Bertin au Van Houtte, bien sûr, mais elle ne s'attendait pas à…

— À ?

— Je sais pas, moi… À un homme si…

— … si ?… élégant ? séduisant ? gentleman ? charmant ? Elvis ? Jésus-Christ ?

— Ce n'est pas moi qui le dis, hu ! hu ! hu !…

— Je peux la laisser travailler, mais ça va te coûter cinq piasses la minute, mon snoro. De la maintenance de ce niveau-là, faut que ça rapporte de temps en temps, dit Omer avec fierté.

Bertin rit, retourne à son journal, tombe sur la photo du jour illustrant la famine en Éthiopie.

— L'Éthiopie, han, ça se peut-tu ? Qu'est-ce que vous en pensez, vous, Jeannine ?

— Font bien pitié.

— Font pitié, font pitié… dit Omer. Sont toujours tout nus, jouent aux smokes avec les pilules anticonditionnelles, mettent des capotes aux manches à balai, pinent à gauche, plantent à droite, c'est ça le problème.

— N'empêche…

— Pas d'empêchage là-dedans : sont trop, se marchent dessus, coupent les arbres pour manger les racines, tu nourris pas des enfants avec du sable, câliboire ! Et puis, on n'arrête pas de leur envoyer de l'argent, ça rentre direct dans les poches des gros rois nègres, y'a jamais de retour sur investissement avec eux autres, on peut toujours pas leur vendre des Kanuk !

— Tant qu'à ça, dit Jeannine, il y a de la misère ici aussi, on a nos calamités…

Et laquelle arrive, justement, franchissant la porte à grands cris de reconnaissance ? Madame Saint-Laurent, en cape de renard, suivie d'un gros homme mal rasé, tuque des Canadiens sur la tête et blazer des Expos sur le dos, qui porte dix sacs d'épicerie à bout de bras. Il hésite, se dandine, dépassé par la pétulance de madame Saint-Laurent. Qui va directement embrasser Omer sur la joue en disant à Jeannine que c'est ce qu'elle fait quand elle le rencontre seul à seul, il lui dit toujours que ça ne coûtera rien, elle ne va pas se gêner aujourd'hui que, Hon ma pauvre chouette ! T'as l'air bien fatiguée, toi ! Elle voit Bertin Lespérance, qui fait mine de se cacher sous la table, et se précipite pour l'embrasser lui aussi. Elle dit à l'homme au livre, qui regarde la scène de sa banquette, que ce n'est pas l'envie qui manque mais qu'il vaut mieux garder secrète leur relation, ce qui provoque la joie générale. Elle retourne à la table à côté de celle de Jeannine et d'Omer, où s'est posé, la fesse sur le bout d'une chaise, le gros homme, qui se relève vivement lorsqu'elle s'étonne que les cafés ne soient pas déjà là.

— Faut tout leur dire, hein Jeannine ? Rencontrez mon voisin – mon voisin éloigné, là, on s'entend –... comment c'est déjà ? Théo ? Roger ?... Gérald ! c'est ça. Il faisait bien pitié à fouiller dans mon bac à recyclage, je l'ai fait entrer pour qu'il se serve à la source, si l'on peut dire. Il est bien fin, un brin gêné, hein Gérard ? Va mon gros, va nous chercher des cafés, prends-toi un muffin si tu veux, fais tout marquer, ils sont au courant, ils demandent pas mieux depuis que j'ai lâché le Tim Hortons. Il fait un peu patof, comme ça, mais il est bien costaud, c'est bien pratique pour les commissions quand l'automobile est cassée. J'ai pas d'Omer, moi, pour réparer ça.

On échange des éclats, de petits cris, des exclamations, des réponses prévues à questions convenues. Madame Saint-Laurent enlève son Silver Fox-tail Jacket en s'étonnant que Jeannine ne porte pas – ou n'ait pas – quelque chose de plus léger pour le printemps, Omer n'est pas généreux égal, à ce qu'elle voit. Jeannine grimace un hu ! hu ! hu ! Elle prend sa tasse, boit à brèves gorgées, jette de rapides coups d'œil à Bertin plus loin, qui écoute en feuilletant son journal. Il rit fort aux blagues de madame Saint-Laurent, qui prend bientôt toute la place. Elle apostrophe Nicole, qui passe un torchon sur la table, lui demande si son gros patof est parti en pousse-pousse au Brésil les acheter, coudonc, les saudits grains de café. Elle prend un ton de confidences publiques : Gérard est une de ces espèces de genre de dé-sins-ti-tu-tio-na-tio-na-li-sé, tsé ? elle l'engage pour de petits travaux, payés au noir, elle n'aime pas ça, mais c'est ça, les séparatisses, que voulez-vous, c'est pas avec le chèque du béèsse que le Picu donne d'un bord et collecte de l'autre avec ses vidéopokers que les Gérard de ce monde peuvent se payer mieux qu'un garde-robe, c'est bien effrayant, les chambres du bloc à coquerelles où il reste, au coin de Marquette et Marie-Anne, le Picu pourrait envoyer des inspecteurs là-dedans au lieu de les envoyer mesurer la grosseur des lettres en anglais sur les affiches en joual. Rien de compliqué, bien sûr, qu'elle lui fait faire, à Gérard, du rangeage de cour, du nettoyage de murs, de tapis – sous supervision, évidemment –, du peinturage l'été prochain...

— … du ramonage ? demande Omer, avec un clin d'œil à Bertin.

— Non. En la matière, mon cher Omer, j'exige des experts. Et puis, ça prend bien de la classe pour ramoner chez madame Saint-Laurent, je laisse pas entrer n'importe qui là-dedans, une femme a ses critères, Omer, tu devrais l'savoèr, on a d'l'histoèr.

Elle se prend d'un fou rire. Jeannine essaie de sourire, sort un petit miroir de son sac à main, retouche son rouge, jette un regard entendu à Bertin, qui s'amuse de l'embarras d'Omer, à la figure duquel redouble l'hilarité de madame Saint-Laurent, qui lui pose la main sur le bras tellement elle n'en peut plus. Les cafés arrivent.

— Ah ! Il a retrouvé le rang ! Sacré Onésime ! Tout un nez !

— Gérald.

— Comment ?… Bien oui ! Gérald, voyons ! C'est mon grand-père qui s'appelait Onésime, ma grand-mère, elle, c'était Fébronie, c'est bien pour dire, ces noms à coucher dehors… Mon autre grand-père, maternel, c'était Napoléon. Un Lespérance. Beauceron, un vrai, jarrets noirs pure laine…

Bertin a un sursaut, il se rend compte que madame Saint-Laurent ne le connaît que par son prénom : son grand-père paternel à lui tenait commerce en Beauce, à Lac-Etchemin, il ne sait plus si c'était le magasin général ou l'hôtel… ou les deux ?

— … Sa femme, ma grand-mère Urina, l'appelait Poléon… Poléon, va fumer ton ciboulot d'cigare dehors !… Poléon, sors les vidanges !… Poléon, enlève tes souliers de sur le pouf !… Gérard, mange ton muffin comme du monde, bon Dieu !

Gérald a la bouche pleine du muffin qu'il mange tout rond. D'une bouchée à l'autre, il change de main et s'essuie les doigts libérés aux aisselles.

— C'est elle, l'Urina à Poléon, qui m'a éduquée pour les hommes. Faut tout spécifier, qu'elle disait, leur donner des directives bien claires et précises. Y'a rien qu'Omer qui comprend tout. Bertin, je le sais pas encore, deux, trois jours sur une peau d'ours devant un foyer dans le Nord, ça vous dit pas ? L'on rit bien mais je sais pas si je vais aller à mon chalet en fin de semaine, mon Lincoln est au garage, faudrait bien faire couler l'eau, avec le froid qu'il fait, mais comme je reçois dix personnes à souper à soir, douze à Pâques, peut-être que, lundi… L'on verra bien. Il y a aussi mon *driveway* que mon contracteur doit refaire à neuf, c'est bien bien compliqué lorsque l'on a deux maisons, deux sets de meubles complets, faut dire que c'est presque plus beau à mon chalet que dans mon huit et demi tout rénové à neuf, la plomberie, l'électricité, on se fait avoir sans bon sens sur le Plateau, ça m'a coûté tellement cher, pis regarde le résultat dehors, des ruelles en gazon environnemental…

La première, Jeannine voit que Gérald pleure. Il a déposé le muffin sur l'assiette, joint les deux mains entre les cuisses, ramassé les épaules comme s'il attendait la taloche. Jeannine ne dit rien mais joue du coude dans les côtes d'Omer, qui est tout à madame Saint-Laurent ; elle regarde Bertin – qui tourne les pages de son journal en pensant aux liens probables entre lui et madame Saint-Laurent ; elle va jusqu'à chercher l'attention de l'homme au livre – plongé dans l'accord du verbe qui a pour sujet un collectif, tout de même distrait par le babil de madame Saint-Laurent. Jeannine revient à Gérald, tête penchée, triple menton au cou, tuque aux sourcils, pompon au front, mèches grasses dans le collet évasé, dont les pleurs silencieux s'encouragent, l'un plus misérable que l'autre.

— … mais c'est plus des ruelles ! au moins avant il y avait des garages, dans les ruelles, l'autre jour, j'ai parlé au type, en fait c'est lui qui m'a reconnu, des p'tits vieux rabougris, c'est pas mon genre, qui louait mon garage dans le temps, il a le cancer, un bien bon gars, deux piasses par semaine que je lui louais ça, il ramassait des couronnes usées, imagine, au cimetière, il strippait ça, il revendait le beigne aux fleuristes, des jobines de même, ça sauvait le p'tit peuple du béèsse du Picu, hein ? pas de sot métier…

Puis, visage grimaçant, Gérald redresse la tête très lentement, comme sous l'effet des larmes de fond, il s'arrête sur madame Saint-Laurent, qui parle à gauche, à droite…

— … dans tous les cas, Plateau mon œil, y'a trop d'artistes dans l'bag astheure, ici, c'est Roger Drolet qui dit ça : le « bag », le « monde dans l'bag », comme pour dire les « suiveux », le monde qui vote pour le Picu, ça, c'est moi qui dis ça… Roger Drolet, l'écoutez-vous ? tout un monsieur… la nuit, quand je pense à Omer, j'allume la radio, je me contente de Roger…

… madame Saint-Laurent, qui parle au plafond, au plancher, qui finalement avise le gros homme qui pleure à sa table – *une multitude de sauterelles ont infesté ces campagnes,* lit l'homme au livre : ici, clairement, accord du verbe avec le complément « sauterelles » puisqu'on veut rendre l'idée de pluralité ; mais, alors qu'il prend conscience du silence tout autour de lui, *la poignée d'habitués se tut, quelques secondes, déconcertée,* lit-il comme autre exemple : là, accord avec le collectif « poignée » puisque l'unanimité du sentiment domine.

Madame Saint-Laurent, avec des mouvements de tête contrariée, des claquements de langue et des ah ! ah ! ah ! de problème pas réglé, se redresse.

— Tu vas pas te remettre à chialer. Qu'est-ce qu'il y a encore ?

— J'ai tellement mal aux pieds.

— Comment ça, mal aux pieds ? tu peux pas avoir mal aux pieds, assis, là, avec ton bon muffin !

— L'artrique. Je sais pas comment j'ai fait pour me lever à matin. Vous allez leur dire, pour le magasin ?

— Ben non je vais pas leur dire. Tu veux empirer les choses ?

Gérald se tourne vers Bertin, qui ne lit plus son journal, et lui demande s'il peut aller s'asseoir avec lui. Il a quelque chose à lui raconter. Confidentiel. Pour rendre hommage à madame Saint-Laurent. Sans attendre la réponse, il se lève, traîne des pieds jusqu'à la table de Bertin et s'assoit. Il prend la serviette de papier que Bertin lui tend, s'essuie, des fibres restent accrochées aux pousses du menton. Il se mouche.

— L'autre jour, le Pinkerton du Provigo au coin de Boyer m'a pogné à piquer un steak. Il m'a tiré par l'oreille jusqu'en avant. C'est gênant en mautadine. J'aurais mieux aimé par le bras. Il m'a demandé ce qui était marqué sur la pancarte sur la porte. Je sais pas lire pis j'avais pas mes lunettes. Il m'a dit toute l'affaire de la vertu de la loi. Tout le monde nous regardait. Là, madame Saint-Laurent nous avait suivis. Elle lui a dit, devant tout le monde : « Lâche-le donc, maudit niaiseux, y'a pas de vertu de loi là, t'es rien qu'un boutonneux de Pinkerton, fais-moi voir le gérant, m'as y payer, son steak. » Han ? ça c'est madame Saint-Laurent : un cœur d'or. Elle m'a aussi acheté des pinules pour mon artrique…

— Ça va aller Gérard, c'est correct, dit madame Saint-Laurent.

— Non non : un cœur d'or. C'est ça qu'elle a. Elle m'aide tellement. Elle a payé le steak. Elle me donne ses bouteilles vides avant tout le monde. C'est rien que normal que j'y rends hommage. À l'hôpital, c'était pas facile pour elle en sortant d'une opération, ben elle m'a dit…

— Gérard, qu'est-ce que je t'ai dit ?…

— … qu'elle me payerait un coat des Expos. Ben je l'ai eu… Pis moi, moi, moi, je lui fais honte…

— Ça va Gérard, pour l'amour du bon Dieu, viens t'asseoir…

— Je le sais pourquoi elle m'appelle toujours Gérard : c'est rapport que Gérald lui fait honte, il la mérite pas… Maudit Gérald, maudit tas de marde à Gérald.

Il se lève dans le silence général, répète à travers les sanglots qu'il ne la mérite pas, traîne des pieds jusqu'à la porte, il ne la mérite pas, qu'un client entrant lui tient, il ne la mérite pas. Une fois sur le trottoir, il semble reprendre contenance et se met à marcher d'un bon pas. L'homme au livre n'est pas vraiment surpris et se dit que la douleur de Gérald si elle n'est pas très romantique – elle est de nos jours bouffie, mal nourrie et suralimentée, médicamentée, polymorbide, support publicitaire ambulant – peut néanmoins être sincère, et que le regain de fierté risible que le gros homme affiche s'apparente à celui qu'on a juste avant le suicide.

Dans le coin Bertin, on trouve quelque chose à ajuster sur soi, à replacer autour de soi, et il se passe un certain temps avant que madame Saint-Laurent réalise que le gars qui ne la mérite pas n'est plus là pour porter ses dix sacs d'épicerie.

— C'est bien pour dire, y'en a qui sont pas faits fort, dit Bertin en fermant le journal.

— Bah, il va revenir cet après-midi avec son mal de pieds, dit madame Saint-Laurent en se ramassant pour le départ, me demander si j'ai pas une autre commission à lui faire faire. Je vais bien lui en trouver une autre mais j'ai tout ce qu'il faut dans ces sacs-là… si j'arrive à les charrier chez moi. Ah ! Jeannine, ma chouette, t'es bien chanceuse de pas avoir personne à souper.

Jeannine regarde Omer. Elle sait ce qui s'en vient.

Omer dit que même s'il ne fume plus depuis douze ans, il voulait justement aller s'acheter des cigarettes dans le bout de madame Saint-Laurent et qu'il va les lui porter, ses sacs. Il demande à Bertin de lui garder Jeannine au chaud, ça coûtera pas cher.

Madame Saint-Laurent est tout de suite prête. Elle fait mine de boxer Jeannine en se dirigeant vers elle, elle la baise joue contre joue dans le vide, lui recommande de se reposer, l'assure qu'il est normal d'être fatiguée, même à ne rien faire, à ce temps-ci de l'année. Elle va vers Bertin – comment on pourrait appeler ça ? se demande Bertin, une grande-arrière-petite-cousine ?… –, lui offre de le laisser porter la moitié des sacs, elle l'agrippe par les épaules, l'embrasse bruyamment, Eh que je vous aime donc, vous, le songeux ! Elle se tourne vers l'homme au livre, lui dit que ce n'est pas la peine, tous autant que l'on est là, gang de tarlas qui s'énervent le poil des jambes – ici : accord avec le complément puisqu'on veut rendre l'idée d'une multitude de tarlas –, l'on ne gagnera pas.

DÉFLORAGES

Par beau temps en fin d'après-midi, je vais lire, surtout le journal, au parc Laurier avec Jacques. Il n'a jamais eu l'âge de trop s'énerver, le pain, les pigeons, les frisbees, les copains, les trous de pet, les fesses à bronzer ne l'intéressent maintenant plus du tout. Il s'installe en sphinx, regarde les passants, endure une mouche, me regarde. On comprend le monde ensemble, comme on peut ; il me dit qu'on est bien, qu'il s'en souviendra au paradis. Après un moment, il bascule sur un flanc et dort.

Je veille.

J'aime cette heure en ville, du soleil oblique, des gens qui reviennent, de la fatigue qui ralentit, des remises au lendemain, des vieux chiens qui dorment encore. Je relis le cahier des sports, j'enregistre les scandales, tueries, génocides, famines, je gobe les potins, constate les décès, tout est loin.

Ce que j'aime moins, c'est quand arrive quelqu'un à pas lents, comme s'il n'y avait pas d'autre banc. Je salue civilement. Parfois c'est trop fort, la solitude est terrible, il parle. Il parle à voix haute des chiens qu'il a eus ; de ses réussites malgré son allure ; du coût de sa survivance, de sa condition inhumaine ; de madame Saint-Laurent ; de nos maladies, surtout de ses maux de pieds. Une fois, il avait l'œil triste et décati, revenu d'hier, même plus déçu. Il m'a tendu une flasque de whisky. J'avais tout lu, j'ai accepté. Il nous a entretenus jusqu'à tard, moi et Jacques, et comme on avait compris ce qu'il nous avait dit trois fois, on a craint pour notre paix, on a changé de parc pour un temps. On ne l'a pas revu. Rien d'étonnant en fin de compte, il carburait au Macallan, ce style-là s'épanche auprès d'inconnus et se suicide. Une autre fois, c'était une petite fille, Jacques s'est animé. Elle avait été laissée à elle-même, les termes exacts étaient que sa mère l'avait abandonnée comme une vieille guenille, et j'étais flatté qu'elle vînt à moi en confiance – à cause du gros livre peut-être, même s'il s'agissait du Grevisse, les lecteurs sont innocents. Elle ne pleurait pas du tout. Elle caressait Jacques, lui grattait le derrière d'oreille, il en bavait. Elle n'était pas si petite, douze ans, par là, on ne sait plus, et sa mère, pas vraiment méchante, juste chez l'esthéticienne. C'est ce qu'elle me dit quand je lui demandai ce qu'elle avait comme trousse d'adieu dans son sac de toile en bandoulière. Son maillot poche. Qui datait. Vraiment. Ce n'était pas l'avis de sa mère. Vraiment pas. Un *Super Picsou,* qu'elle avait aussi, avec Donald Duck, Goofy et Mickey Mouse sur la couverture. Elle en était fière au cube parce que c'était un numéro qui n'arriverait au Québec que dans six mois. Son père venait de le lui rapporter de France, d'où il revenait encore sans accent, même s'il y allait souvent. Elle devait passer la fin d'après-midi à la piscine, là-bas, entre les barbelés, où il y avait des cris de mort de joie. Rendue à la porte, elle avait changé d'idée, ça criait trop, ça sentait l'eau de Javel. Qu'est-ce que je lisais ? Bof, à propos de l'accord du verbe qui a pour sujet un collectif, avait-elle une opinion ? Je lui donnai plusieurs exemples. Elle comprit, me dit ce qu'elle en pensait, et ce n'était pas bête du tout, dans la lignée de ce que préconisait Maurice. On parla de choses et d'autres. Sous le Grevisse, il y avait le journal et une photo de Marie Laberge, qu'elle avait lue. C'était rebondissant, et elle était vraiment gentille, elle signait de belles dédicaces au Salon du livre. Elle sortit du sac le deuxième tome des *Misérables*. Un peu long. Elle continuait parce que l'histoire était rebondissante. Elle me demanda ce que j'aimais. Elle ne connaissait pas. Elle aimait aussi J.K. Rowling, bien sûr, rebondissante au cube, et espérait qu'Harry Potter ait cinquante ans en même temps qu'elle – elle savait bien que J.K. Rowling aurait autant vieilli, mais qu'est-ce qui empêchait d'écrire à quatre-vingt-dix-sept ans ? Les écrivains travaillaient assis, après tout. Elle me demanda mon nom. Enchantée. Elle, c'était Charlotte. Son père l'appelait Lotte. Ou Lolotte. Mais c'était juste lui qui avait droit. Elle pensait – elle pensait pas, elle était sûre – que c'était à cause de Gainsbourg. Charlotte avec deux t, on se comprenait bien ? Parce qu'une ortho de secrétarienne le lui avait écrit avec un seul t l'autre jour. Bon, ça ne s'entendait pas, les deux t, mais les gens ne savaient tellement plus écrire. Personne ne m'appelait Bébert ? Ou Tintin ? On parla ensuite du jeu compulsif ; des chips au paprika, qu'on ne trouvait qu'à Zurich ; de Philippe Couillard, qui ressemblait à son père, et elle me chanta du libérez-nous des libéraux. Elle enclenchait sur José Théodore quand elle vit sa mère qui se dirigeait vers la piscine, de l'autre côté du parc. Elle donna une grosse bise à Jacques, qui fit quelques pas à sa suite, sans vraiment d'espoir. Il aime les petites filles – les petits garçons aussi mais, pauvres petits garçons, à part leur habileté à lancer toutes sortes de choses très loin, il leur trouve moins de compétences transversales qu'aux petites filles.

*

C'était l'été où j'étais resté à Montréal. Jacques en était responsable, il me reprochait de plus en plus le gardiennage, mais il n'y avait pas que ça : une traduction à remettre à la rentrée, les Hollandais en Provence, des travaux de maçonnerie à superviser, la toute neuve Justine avec son cancer – je ne savais pas trop comment réagir, le temps a beau être un grand maître, il ne se rattrape plus.

C'était une très chaude soirée de cet été-là. J'étais revenu au parc après souper. La nuit était tombée, lourde, sans la moindre brise. J'avais apporté à lire, mais le banc n'était pas éclairé. Subitement, il y eut quelque chose tout près de moi, une tête d'oiseau sur une chemise à carreaux, des bermudas trop grands. Il souriait. Il me demanda s'il pouvait s'asseoir, n'attendit pas. Je le regardai – les parcs devraient aussi offrir des chaises anti-voisins –, il souriait toujours.

— Vous allez pas me croire, je viens ici depuis soixante ans. Je vous vois souvent avec votre chien. Je reste quelque part dans le coin. Craignez pas, vous me reverrez pas. Vous allez comprendre.

Il avait des lunettes à grosses montures, aux verres ambrés, huit cheveux collés au crâne, une frange graisseuse à la base de l'occiput, d'énormes oreilles aux lobes étirés ; le nez était minuscule, le menton galoche, la bouche sans lèvres, ride dans un réseau de rides. Jacques avait reposé sa tête dans l'herbe, il ne se dérange que pour les petites filles. Je ne disais rien, il n'y avait pas d'autre banc libre, je ne voulais pas marcher ni comprendre quoi que ce soit. Il m'offrit une rouleuse. Toute sa vie – là j'aurais dû me lever, lui souhaiter bonne nuit, civilement – il avait été livreur, et dans les années 60, pour un grossiste en fruits et légumes. Le commerce en ce temps-là était simple, on comprenait la vie : le fermier vendait ses aubergines au grossiste, qui en livrait quelques-unes à l'épicier, qui les refilait deux heures plus tard à ses ménagères, un peu plus cher que ce qu'il avait payé au grossiste. Tout le monde prenait son petit profit, tout le monde travaillait, et l'aubergine ne coûtait en bout de ligne que dix cennes. Ah les fruits et légumes. Ça lui sortait par les oreilles à l'époque, il les avait gratis, il mangeait pas autre chose... si on admet qu'une nouche qui frétille, toute chaude, juteuse, c'est de la prune. Façon de parler. Sa plus steady, c'était la fille d'un Italien du marché Jean-Talon. Elle sentait le basilic jusque dans l'absence de petites culottes. Il aurait pu se marier quinze fois. Il n'y avait jamais sérieusement songé, sa chambre à coucher, c'était la boîte de son camion de livraison – il replaça ses lunettes en guise de clin d'œil. Son boss le lui laissait en dehors des heures de travail, il lui payait même l'essence. Un Chevrolet Panel Delivery 56, le modèle 3105. Ça me disait quelque chose ? Un batêche de beau camion. Six en ligne, Thriftmaster, carburateur Rochester, quatre vitesses Synchro-Mesh, prime comme il n'avait jamais eu après, assez pour grimper un mur en première. Son boss l'avait acheté en 1963 d'un boulanger de Sainte-Rose en faillite. La boîte était équipée de tablettes à pentures le long des panneaux. Tout un système. Pour étaler la pâtisserie. Un peu serré pour les caisses de tomates, parfait pour taponner la cerise – clin d'œil. Son boss avait aussi un Cameo 58, le plus beau pick-up jamais construit, pour la grosse livraison. Il aurait bien aimé l'avoir pour cruiser les dimanches après-midi mais le Panel était plus discret pour ses activités – clin d'œil, lunettes, bout de langue. Le seul aria, c'était le plancher de bois de la boîte, dangereux avec les végétaux écrasés. Il n'y avait pas de CSST en ce temps-là. Les odeurs en plus, les vapeurs, ça fermentait raide, comme du p'tit blanc. Lui s'en fichait, il pompait des rouleuses à la chaîne, mais les p'tites mères disaient que son camion sentait la mort. À cause des fleurs.

J'avais beau regarder ma montre, je n'avais finalement rien à faire. Et Jacques dormait si bien.

— Je restais sur Chambord, près de la track. J'avais pas pu trouver de garage autour, ça fait que j'en louais un, je peux ben vous le dire, ça a plus d'importance, dans la ruelle Gilford, entre Boyer et Christophe-Colomb. Pour ma riguine de fleurs, mais pas rien que pour ça.

Tout autour on chuchotait, on se promenait lentement dans les allées, des éclats fusaient du pied des arbres, aux tables de pique-nique au milieu de la pelouse ; on buvait, on mangeait, on jouait de la guitare quelque part, un tam-tam résonnait en sourdine, des enfants se poursuivaient dans le noir. Et la fumée âcre de la rouleuse baignait longuement l'air lourd, s'accrochait au plafond de feuilles, se mêlant aux traînées de pot venues du banc à côté.

— Non, pas rien que pour ce déflorage-là, si tu vois ce que je veux dire. On peut se tuteyer, c'est le plus vieux qui demande…

— Non, j'aimerais mieux pas.

— Ah bah, j'ai ben pensé, pas d'importance, t'as beau. À confesse non plus on tuteye pas. Vous avez des enfants ? Des filles ? Non ? Vous allez peut-être encore mieux comprendre, d'abord. Peut-être pas. Plus d'importance. Mon boss avait fait peinturer le Panel en violet, presque noir, comme les fleurs des aubergines, avec un gros panier jaune plein de légumes dessiné sur les côtés. Je te dis pas quel nom, mon boss, vous pourriez me retracer avec l'allure que vous avez. Parce que vous êtes un liseux, vous, hein ? Avec votre gros livre. Un fouilleux. Ça a plus d'importance, j'en ai pour trois mois. J'avais loué le garage, pas pour le Panel, pour mon sideline de couronnes mortuaires. Parce que j'avais un deal avec le superviseur du Côte-des-Neiges : deux fois par semaine, quand j'avais fini ma run de légumes, je ressoudais au cimequière ramasser les couronnes défraîchies sur les tombes. Le monde revenait plus en général, après l'enterrement. « Où c'est qu'est la couronne à dix piasses sur la tombe de mon père ? » des questions de même ? Jamais. Le monde se demandait pas non plus, pour le recyclage, l'environnement, ces gosseries-là. Moi, j'ai tout de suite vu la piasse à faire là-dedans : un Panel full à tous les voyages, cinquante à soixante couronnes, j'y retournais un autre soir quand un gros légume était défuntisé la semaine d'avant. On était délicat, on respectait le deuil. Le deal, c'était que j'amène tout au complet, les fleurs, les cœurs en plastique, les papiers, les rubans. Mais moi, ce que je voulais, c'était juste le beigne, comprenez-vous ? Ça fait que rendu dans mon garage loué, j'arrachais tout jusqu'au trognon, comme qu'on peut dire, qui était fait d'un genre de pâillasse de cèdre, une affaire de même, entourée de broche à poule, je renippais le beigne avec du cellophane neu, pis je le revendais aux fleuristes. Vingt-cinq cennes chaque. Rien de croche là-dedans. Carcule un peu : cent à cent vingt beignes par semaine, ça me faisait vingt-cinq à trente piasses, le garage m'en coûtait quoi ? deux, plus cinquante cennes de cellophane, je graissais mon gars, le superviseur, avec un autre deux, sans compter que les veillées que je passais dans le garage, je les passais pas à l'hôtel... Je me tirais un bon vingt, vingt-cinq piasses clair par semaine. J'en faisais pas ben ben plus comme livreur, trente, trente-cinq... Panel fourni, par exemple ! Un cibolac de bon sideline. Gras dur, le gars, avec sa radio, ses rouleuses, sa chaufferette... sa stagiaire. Si c'est correct pour le président aux States, une stagiaire, pourquoi ça l'aurait pas été pour moi ?

Il toucha ses lunettes. Il souriait. Il s'alluma lentement une autre rouleuse. Il me montra un Hummer qui s'engageait sur Brébeuf. Il le suivit de la tête, se retourna, me dit qu'Arnold Schwartzenegger en avait huit comme ça. Cent cinquante mille tomates US chacun. Il tirait de grosses bouffées, les doigts écartés, la tête penchée de côté, en tremblant un peu. Des sirènes se concurrençaient, l'air était lourd. Il faisait vraiment chaud.

— Ouan... trois mois, qu'ils m'ont dit, gros top. Cancer du poumon, des os. Ostéosarcrome, dans ces affaires-là. Pinules, morphile, toute la patente. Ça a plus d'importance.

Il était toujours temps de partir.

— Ça fait que j'étais là, dans mon garage, le soir, depuis une couple de semaines à déflorer mes couronnes quand une bonne femme vient me voir. La petite misère, la madame : flaubée, chétite, picassée dans la face, une trâlée de morpions mal torchés pognés après la jupe, attelés comme la chienne à Jacques toute la gang. Le Plateau des starlettes pis des vedettes de la tivi, c'est nouveau, ça, avant icitte, c'était laitte par grands bouttes, m'as te dire. Ça doit être marqué dans vos livres. De la grosse famille en masse, du fiferlot, du bum, du ti-coune, de la morve au nez, de la vaisselle garrochée par les fenêtres, de la chamaille, y'en avait en pas pour rire... Du bon monde aussi, y'en avait, ben sûr. Mais y'en pissait pas. Je vous dis pas qu'elle était pas du bon monde, la madame, elle faisait piquié même, mais bonguienne ! pauvre comme ça avec autant de flos... Farme la trappe, call-toi malade de la sacoche, coupes-y la champlure, à ton taureau, fais de quoi ! Même dans ce temps-là, les p'tites mères étaient pas obligées de se présenter de la croupe à tous les soirs, les curés étaient moins papes que dans le temps d'avant, surtout en ville. C'est ben simple, la madame, là, en quoi ? six ? huit mois ? j'y ai jamais vu le mari. Pis ils restaient au coin de la ruelle. Il était jamais là, à croire qu'elle en avait pas. Faut pas se surprendre si elle se désâmait à grapâiller à gauche à droite. Ça fait qu'un beau soir, elle vient me voir : elle voulait que je lui mette de côté les rubans que j'enlevais aux couronnes, que je jetais de toute manière. Des rubans neus, ça c'est vrai, de toutes les couleurs. Du gaspillage. Mais c'est de la riguine de femmes, ça, des rubans, on s'entend-tu là-dessus ? Elle, elle les lavait, les repassait, pis les revendait à une genre d'artisse qui faisait des bonhommes avec, des clowns, des pierrots, des marionnettes, des affaires de même. Seulement, moi, je gossais mes beignes avec des gants, j'arrachais carré toute la chibagne, fallait pas que ça niaise, pis je sacrais ça dans une poubelle avec les fleurs pourrites, bonsoir la visite. J'avais pas le temps de picosser après des rubans. Pleins d'aiguilles, par-dessus le marché, ces maudites niaiseries-là, pleins de tacks, des broches, si elle voulait les revendre, fallait pas les déchirer. Ça fait qu'elle me dit qu'elle va m'envoyer sa plus grande pour prendre les rubans en premier. Shirley. Eh Monsieur ! Alleluiah ! Douze, treize ans, comprends-tu, une câliboire de belle petite mère en puissance, on voyait ça tu-suite… Tu vois, je te dis ça… je sais pas… Elle avait l'air… pauvre. Pauvre, pauvre, ben sûr qu'elle était pauvre, que tu vas me dire ! Mais moi je veux dire, pauvre d'en haut, de la comprenure. Pas complètement déwrenchée, non… ou complètement gâcheuse. Juste… emmorphosée, tsé ? Tranquille. Trop. Elle te regardait comme un chien te regarde, à essayer de tenter de vouloir comprendre… plus que dix mots de suite, mettons. Vous pis moi, on se parle, on se comprend avec des mots qu'on dit un après l'autre, mais pas votre chien. Si tu te mets à y parler normalement, à votre chien, à y raconter des affaires, il comprend plus rien, on est-tu d'accord ? Elle, c'était pareil. De toute manière, elle parlait pas l'diable. Mais elle était pas manchote de la langue, par exemple.

Il m'a fait un clin d'œil, a baissé les yeux, ce n'était pas de honte, sourire aux lèvres. Un sourire de doux souvenirs, j'ai bien vu. Je me suis dit qu'en revenant, j'irais voir Justine, il adviendrait ce qu'il adviendra, il se faisait tard.

— Heille ! j'ai vu un de ces Panel l'autre jour dans la rue, tout remis à neu, mon ami, un beau 52. Je suis allé voir le gars. Il l'avait acheté d'un type en Floride. Trente mille US. Un autre dix mille pour le faire charroyer jusqu'icitte. Faut vouloir. Mais y'était beau en vinguienne ! Bleu ciel, arluisant, bumbers chromés, tout rond. Le gars en Floride avait plogué un 235 d'un 55 dedans, le même moteur que sur le mien dans le temps. Tout swell en dedans, avec de la carpette pardessus du foam à grandeur, une patente à musique, des ceintures, des sièges baquets, isolé avec du foil. J'aurais-tu été comme aux States là-dedans, moi ! Parce que, par bouttes, le pèteux à l'air, même à s'épivarder sur la couverte, même avec le gigotage des p'tites mères, c'était pas chaud chaud. On peut pas dire ça d'à soir, hein ? Ça, mon ami, c'est de la température à mon goût. Au moins, c'est fini l'hiver pour moi. Je serais ben juste parti en dérouine en Floride à la place du grand voyage, mais quand c'est le temps, c'est le temps, pas vrai ? C'est pas toi qui décides. On gagne pas.

J'ai cru que c'était fini, qu'il s'en allait. Il avait posé ses mains sur ses genoux, penché le buste, répétant que pour être fini, c'était fini, ouan, c'était fini… Mais si jamais ! – il se tourna vers moi, l'index en l'air, sourcils relevés, il ne souriait pas –, si jamais il les retrouvait de l'autre bord, les curés… il cherchait pas à s'excuser, là, il cherchait pas une défaite, quelque chose de même, non, parce qu'on était responsable, on décidait pas mais on était RES-PON-SA-BLE… il la leur ferait manger, leur christi d'soutane, je pouvais en être sûr. Au complet, par-dessus le marché, avec les caleçons longs, puis il le leur ferait mousser, leur créateur, pour vrai. Avec une poignée de braquettes. À deux branches, les braquettes.

Il s'adossa résolument, tira une autre rouleuse de son étui en plastique, l'alluma en tremblant, prit une longue bouffée, exhala, me regarda sans rien dire de longues secondes, hochant la tête.

— Hormis dans un livre, je veux dire, le lire dans un livre, ou le voir dans une vue ou à la tivi… Je veux dire, t'es-tu déjà fait tripoter par un gars en robe, toi ? Parce que c'est ça que c'était, leur soutane : une saint-simonac de robe. C'est pour ça qu'ils étaient habillés de même, j'imagine, pour pas que ce soit des hommes. Moi, je suis allé à Saint-Stanislas, hein, pas loin d'icitte, sur Gilford. Pas tard, jusqu'en quatrième, cinquième. Pis j'étais servant de messe aussi, en face, l'église est encore là. Maudite bâtisse, maudit presbytère. On ostinait pas, comprends-tu, c'était comme normal. Quand tu te fais pogner le bénitier à dix ans par le même saudit gars en robe qui épeure ta mère, qui la rend toute molle… Parce que, je l'ai vue, moi, ma mère, donner une piasse – une piasse, saint-cibolac de cricifix ! en pleine guerre quand qu'elle travaillait aux shops

Angus… une piasse, à ce temps-là, penses-y ce que c'était – à un bouffon en soutane, pis se revirer, ma mère, pour nous câlisser sa strap dans la face parce qu'on avait manqué une messe, moi pis mon frère. Ben, quand tu vois ta mère à plat ventre devant un hostie de bouffon en soutane, son Jésus-Christ vivant… À qui tu te plains dans ce temps-là ? À qui ? Mais m'en vas te dire une chose épouvantable : c'était pas complètement désagriable, comme qu'on dit, on prenait notre kick nous autres aussi… On le faisait entre nous autres, c'était juste un peu plus gros. C'est effrayant, hein ? M'as te dire d'autre chose d'effrayant : je les comprends presque astheure. Ces gars-là de trente ans en robe, ça devait raidir pas à peu près. On était beaux, les p'tits servants pauvres, avec nos p'tites fesses dures. C'est effrayant, hein ? Ça t'épouvante, hein ? Ben, m'as te dire encore d'autre chose : moi, les Ben Laden, toutes ces races-là avec leurs mariages de vieux avec des petites peaux de dix, douze ans, je comprends ça. Profondément. Excuse-moi, excuse-moi profondément. Moi, icitte, moi, je m'en souviens en cibolac. À douze ans, on était-tu l'diable plus innocent qu'à vingt ? je le sais pas. Je le sais pas pis je me pose la question depuis cent trente-deux ans pis je comprends les vicieux en gang sur l'ordinateur, tout ça. Je veux pas amoindrir, ça a plus d'importance, mais faut comprendre. Faut pas juger, c'est ce que je me dis, c'est comme ça que ça se passe, c'est comme ça que ça se passait. Ça empêche pas de les faire passer au cash, les vicieux comme moi, comme les bouffons. C'est pour ça que si j'en vois un en haut… Un bon genou dans les schnolles. Moi au curé, Shirley à moi. Comme ça, tout le monde va être quitte. À ce temps-là de ma riguine de couronnes, j'avais trente, trente-cinq, je jackais à rien. Comment ça a commencé ? Je sais plus trop. On était là, dans le garage avec la musique, les fleurs... Ça pognait aux sens. Elle disait rien, la p'tite vinguienne, elle enlevait les rubans dans son coin, dans sa p'tite robe sale, avec ses p'tites tresses autour de la face, ses p'tites cuisses dorées, ses p'tites chevilles, ses p'tits pieds. C'est beau à cet âge-là, vous viendrez pas me dire. Des fois, je l'amenais au cimequière dans le Panel. Elle avait pas l'air d'aller à l'école. Elle aimait les chars. C'est juste à ce temps-là qu'elle riait un peu. Quand elle me prenait ça, elle fermait les yeux. Elles font toutes ça, astheure, de toute manière, peut-être pas avec le cigare, mais à genoux, je veux dire, jusque dans les cours d'école, ils l'ont montré à la télivision que c'est pas du sexe. Le monde trouve ça normal. Un genre de mode, on dirait. Je lui ai jamais rentré dedans, par exemple. Je lui faisais pas mal, je la touchais pas. Juste le zip ouvert. Comme Clinton. Elle voyait rien de plus, ni moi non plus. Propre de même. Je lui faisais pas avaler ça ni rien de ça. Parce que, ça, c'est toujours un principe que j'ai respecté : tu fais pas faire ça si l'autre veut pas, même si tu payes, même si elle a douze ans. Tu veux pas ça dans l'autre trou, c'est correct. Comme toi tout à l'heure, tu voulais pas tuteyer : t'as beau, ça fait rien. Je lui donnais cinquante cennes pour ça, un autre de temps en temps pour l'aide, pis je donnais les rubans à sa mère. Un bon coup de main. C'était un bon deal pour tout le monde. On en faisait du millage avec un cinquante cennes en

1960. Je sais pas ce qu'elle faisait avec. On n'était jamais dérangés, même si la ruelle était pleine de flos. Y avait tellement de couronnes dans le garage, on était cachés.

Un soir, dans une taverne, j'avais vingt ans, un soir normal de taverne blafarde à buveurs solitaires, un type avait tabassé un vieil homme avec qui il était attablé. Ils parlaient. À vrai dire, on ne les avait pas remarqués, peut-être qu'ils ne parlaient plus. Le type s'était levé et s'était mis à frapper méthodiquement le vieux, sans un mot, sans un éclat, en attendant entre les coups qu'un bout de visage échappe à la protection des bras. Le type était ensuite parti d'un pas calme, le vieux ensanglanté avait repris son verre. Rien de cassé, le serveur avait essuyé les traces du cogneur. Peut-être même avions-nous payé la traite au vieux.

Il alluma une autre rouleuse. Sa, quoi ? cinquième ? Ça n'avait plus d'importance. J'ai repensé au type de la taverne. Nous étions seuls dans notre coin de parc, il était tout malingre, un seul coup de poing lui aurait liquéfié l'ostéosarcome.

— Ensuite ?

— Ensuite... bah. Cinq, six mois que ça a duré. Jusqu'à l'hiver, si je me rappelle ben. Elle venait de moins en moins. Moi j'insistais pas, comprends-tu, je jetais les rubans, je me passais des jacks, ce devait être l'odeur des fleurs, je sais pas. Pis un soir que j'arrivais au garage, un de ses p'tits frères m'attendait. Il faisait piquié. Il faisait frette, il était mal habillé, mais il voulait pas rentrer dans le garage... Je sais ce que tu penses : j'étais pas un cochon de même, comme les bouffons. Il venait juste m'annoncer que sa sœur était morte. Je sais plus trop comment. Me semble qu'il m'a dit qu'elle s'était neyée. Mais neyée… neyée… Où ça, en hiver, neyée ? En Floride ? J'ai donné quelque chose au p'tit pour la mère, peut-être qu'il l'a gardé pour lui. Les couronnes, j'ai fait ça encore un bout, pis je sais plus. Je pense que mon boss s'est mis à louer le Panel le soir, quelque chose du genre. C'est loin, comprends-tu.

ON VA GAGNER !

Une petite fille de quatre ou cinq ans déboule l'escalier extérieur, court jusqu'au coin de la rue et attend. En haut des marches, un jeune homme descend à reculons devant une jeune femme qui se tient aux deux rampes. Elle met précautionneusement un pied sur une marche, puis sur l'autre avec effort, et ainsi jusqu'en bas alors qu'elle se laisse tomber avec un sourire de soulagement, les yeux fermés, dans les bras du jeune homme, qui la soulève tout doucement et la dépose sur le trottoir.

Sur le coin de la rue, la petite fille attend toujours ; le jeune homme lui lance : « *This way, Charlotte... Come, my love...* On va gagner ! »

La petite court rejoindre le couple en riant.

L'auteur tient à remercier Jeanne Le Roy pour les passages de *Die Zebrin* empruntés à la nouvelle « La Zébresse », parue aux Herbes rouges, en 1994, dans le recueil du même titre.

TABLE

ROMANS, RÉCITS, NOUVELLES ET JOURNAUX

Germaine Beaulieu	*Sortie d'elle(s) mutante*
Claude Bertrand	*Le retrait*
Louise Bouchard	*Décalage vers le bleu*
	Les images
Monique Brillon	*La fracture de l'œil*
Nicole Brossard	*Journal intime* suivi de
	Œuvre de chair et métonymies
Marie-Geneviève Cadieux	*Ne dis rien*
Hugues Corriveau	*Les chevaux de Malaparte*
Bianca Côté	*Carnets d'une habituée*
	Cher Hugo, chère Catherine
	Faux partages
Carole David	*Histoires saintes*
	Impala
Michael Delisle	*Drame privé*
Roger Des Roches	*La jeune femme et la pornographie*
	Le rêve
France Ducasse	*La double vie de Léonce et Léonil*
	Le rubis
	La vieille du Vieux
Jean-Pierre Guay	*Bungalow*
	Le cœur tremblant
	Démon, la voie royale
	Flâner sous la pluie
	Fragments, déchirures
	et déchirements
	François, les framboises et moi
	Le grand bluff
	J'aime aussi les bisons
	Maman
	Le miracle
	Mon ex aux épaules nues
	La mouche et l'alliance
	Où je n'écris plus rien
	La paix, rien d'autre

	Seul sur le sable
	Un certain désemparement
	Un enfant perdu dans la foule
	Un homme trop bon
Charles Guilbert	*Les inquiets*
Jean Hamelin	*Un dos pour la pluie*
Lise Harou	*Exercices au-dessus du vide*
	Un enfer presque familier
Pauline Harvey	*Les pèlerins*
	Un homme est une valse
(Danielle Roger)	*Lettres de deux chanteuses exotiques*
Louis-Philippe Hébert	*La séparation*
Corinne Larochelle	*Ma nuit est sans épaule*
Luc LaRochelle	*Ada regardait vers nulle part*
Monique LaRue	*La Cohorte fictive*
Luc Lecompte	*L'ombre du chien*
	Rouge Malsain
Michel Lefebvre	*Les avatars de Bertin Lespérance*
	Le changement comme passe-temps
	La douceur du foyer
Jeanne Le Roy	*La zébresse*
David Macfarlane	*L'arbre du danger*
Roy MacSkimming	*Coups de cœur*
Roger Magini	*Saint Cooperblack*
	Un homme défait
	Un voyageur architecte
Alain Bernard Marchand	*C'était un homme aux cheveux et aux yeux foncés*
	Le dernier voyage
	L'homme qui pleure
	Lettres d'un cracheur d'étoiles
Carole Massé	*Dieu*
	L'ennemi
	L'existence
	Hommes

	Nobody
	Qui est là ?
Albert Martin	*Knock-out*
André Martin	*Crimes passionnels*
	Darlinghurst Heroes
Dominique Robert	*Jours sans peur*
Danielle Roger	*Est-ce ainsi que les amoureux vivent ?*
	Le manteau de la femme de l'Est
	Petites fins du monde et autres plaisirs de la vie
	Petites vies privées et autres secrets
	Que ferons-nous de nos corps étrangers ?
(Pauline Harvey)	*Lettres de deux chanteuses exotiques*
Pierre Samson	*Catastrophes*
	Il était une fois une ville
	Le Messie de Belém
	Un garçon de compagnie
Elizabeth Smart	*À la hauteur de Grand Central Station je me suis assise et j'ai pleuré*
Jean-Yves Soucy	*La buse et l'araignée*
	Les chevaliers de la nuit
	Le fruit défendu
France Théoret	*L'homme qui peignait Staline*
	Huis clos entre jeunes filles
	Laurence
	Nous parlerons comme on écrit
	Une voix pour Odile
François Tourigny	*Le technicien*
Lise Vaillancourt	*Journal d'une obsédée*
W. D. Valgardson	*Un visage à la Botticelli*
Guy Verville	*Crever mon fils*
Yolande Villemaire	*Ange amazone*

Éditions Les Herbes rouges
C.P. 48880, succ. Outremont
Montréal (Québec) H2V 4V3
Téléphone : (514) 279-4546

Document de couverture :
Le chien (1951), Alberto Giacometti

Distribution : Diffusion Dimedia inc.
539, boulevard Lebeau
Montréal (Québec) H4N 1S2
Téléphone : (514) 336-3941

Diffusion en Europe : Librairie du Québec
30, rue Gay-Lussac
75005 Paris (France)
Téléphone : (01) 43-54-49-02
Télécopieur : (01) 43-54-39-15

Cet ouvrage a été achevé d'imprimer
sur les presses de Marquis Imprimeur
à Cap-Saint-Ignace en novembre 2007
pour le compte des
Éditions Les Herbes rouges

Imprimé au Québec (Canada)